아름답게 자란 B친여자

아름답게 자란 B친여자

발　행 | 2024년 06월 28일
저　자 | 다른이름
펴낸이 | 한건희
펴낸곳 | 주식회사 부크크
출판사등록 | 2014.07.15.(제2014-16호)
주　소 | 서울특별시 금천구 가산디지털1로 119 SK트윈타워 A동 305호
전　화 | 1670-8316
이메일 | info@bookk.co.kr

ISBN | 979-11-410-8930-6

www.bookk.co.kr

목 차

삐뚤어진 열여덟

비스듬히 기울인 거울 속에 비친 아란의 눈과 코와 입은 곱기도 곱고 맑기도 맑다. 비스듬한 거울 안에 반듯하게 들어가 있는 아란의 얼굴은 거울을 반듯하게 세우면 비스듬해진다. 아란은 오늘도 거울을 보며 고개를 갸우뚱거리며 자신의 얼굴을 반듯하게 만들려고 노력해보지만 아무도 없는 곳에서 구해 달라고 외치는 부질없는 외침처럼 소용이 전혀 없다.
아란의 얼굴은 언제부터 삐뚤어졌을까. 삐뚤어진 얼굴에 언제부터 삐뚤어진 마음이 깃들게 되었을까. 얼굴이 먼저일까, 마음이 먼저일까 고민하는 아란은 자신의 얼굴을 소중한 듯 만지면서도 뜯어버리고 싶은 듯 꼬집는다.

아란은 자신의 얼굴을 빤히 보다가 쨍그랑하는 소리에 거울이 놀라 깨져버릴까 걱정이 되는 듯 닭이 알을 품듯이 품어 이불 안으로 자신의 몸과 함께 숨긴다. 터벅터벅 그냥 발소리인데도 불쾌하게 들려오는 굉음에 아란은 몸을 구긴다. 가까워진 발소리가 멈춘 곳은 아란과 아란의 거울을 덮고 있는 이불이다. 아란의 두 배는 될 듯한 두텁고 커다란 발은 이불을 걷어차 아란을 꺼낸다. 아란은 바들바들 떨고 있다. 검은 동자만 겨우 올려 위를 보다가 다시 눈을 내리깔고 오들오들 떤다. 자신을 보고 떨어대는 아란이 재밌는지 킬킬거리며 대가리를 쪼개고 싶게 소리를 쪼개며 웃어대는 것은 아란을 집어서 올린다.

"개 빻은 년이 거울은 봐서 얻다 쓰게? 너는 대가리에 똥만 차서 아무것도 모르나? 아무리 눈, 코, 입 멀쩡해도 면상이 찌그러져 있으면 쓸모없어. 정신 차려 미친년아."
미친년 소리를 처음들은 아란은 묘한 짜릿함을 느낀다. 묘한 기운이 아란을 일으켜 세웠는지 아란은 말대꾸한다.
"너보다는 쓸모 있어. 이 쓰레기 같은 새끼야."

아란의 말에 기가 찼는지 기침을 하듯 킥킥거리며 비웃는 남자는 아란을 때리기 시작한다. 아란을 안아주던 짜릿함은 어디로 간 건지 아란만 홀로 남아 남자의 발길질을 감당하고 있다. 아란은 이내 하얀 깃발을 들어 잘못했다고 싹싹 빈다.

"아빠, 잘못했어요. 제가 미쳤었나 봐요. 헤헤."
억지로 웃는 아란이 불쌍하지도 않은지 아란의 아빠라는 것은 만족한 표정을 짓는다.
"그래. 여자는 웃어야 해. 여자는 웃어야 예뻐. 특히 너 같이 얼굴에 하자 있는 년들은 실실 웃어줘야 팔린다고. 아란아, 조금만 더 기다려. 우리 아란이가 크면 돈 진짜 많이 벌 수 있을 거야. 얼굴 그거 삐뚤어진 거야 뭐 머리카락으로 가리고 이렇게 저렇게 잘하면 어떻게든 되겠지.

아빠 믿지?"

아빠라는 것은 원래 딸을 때리고 딸을 여자로 보고 딸을 상품으로 보고 딸을 팔 생각만 하는 걸까. 아빠라는 뜻을 모르겠는 아란은 "네, 아빠."라고 공손하게 대답을 할 뿐 아무런 생각도 하지 못한다.

아란에게 남은 건 아란의 품 안에 품어져 조금도 흉지지 않은 거울뿐이어야만 하는데 아빠라는 것은 아란의 옆을 떠나지 않는다.

아란의 옆에 찰싹 붙어 옷이라고는 교복밖에 없어 거적대기 같은 헝겊을 두르고 있는 아란의 몸을 어루만진다. 자식의 몸을 쓰다듬는다고 하기에는 수치스러운 흐름이라서 아란의 눈에는 물이 흐른다.

아란의 눈에 흐르는 눈을 본 아빠라는 것은 "이년, 또 쳐 우네."라는 말을 하며 아란의 밑을 손가락으로 쑤셔대며 "눈에서 물을 흘리지 말고 여기, 그래! 여기서 물을 흘리라고." 말하며 만족한 듯 바지를 주섬주섬 내린다.

아란은 자신의 밑이 쑤셔질때면 자신이 자신이 아니라는 생각을 하며 자기를 관찰하는 사람으로 인식한다. 자신은 아란이 맞지만, 이 순간만큼은 아란을 지켜보는 또 다른 아란인 셈이다. 아란이라는 불쌍한 여자가 당하는 모습을 지켜보기만 하는 여자를 죽이고 싶으면서도 이렇게라도 아란의 조금을 지킬 수 있다는 것에 안도의 숨을 내쉰다.

아란의 내쉬는 숨에 더욱 흥분하는 아빠라는 것은 헉헉

되다가 풀썩 아란의 위에 포개진다.

아란의 아빠는 정말 아빠가 맞을까. 아란의 아빠는 아란의 손에 돈을 몇 장 쥐여 주고는 나가서 말끔하게 씻고는 손에 명품이 든 쇼핑백을 들고 신발장에서 어슬렁거린다. "오~ 우리 아들 왔어~"하며 아란이 듣는 짐승의 소리 대신 인간의 말소리로 말을 건네는 아란의 아빠라는 것은 사실 아란의 진짜 아빠가 아니다.

아란은 태어나자마자 버림받았고 시설로 들어가 자랐다. 시설에서 아란은 행복했을까? '아름답게 자란'이라는 뜻을 가진 이름을 가지고 있으면서 아름다운 세상을 모르는 아란은 시설에서도 불행했다.
불행이 깃든 우울한 어린아이의 순수한 눈동자는 아란이 아빠라고 부르는 사람에게 매력적으로 다가왔고 아란은 그렇게 집이라는 곳을 얻었지만, 여전히 집이라고 부를 편안함을 주는 곳은 아란에게 없다.

아란의 오빠는 아란보다 1살이 많다. 아란은 자신이 오빠라고 부를 사람을 처음 본 날 설렜었다. 아란은 자신에게 처음으로 설렘을 가져다준 오빠라는 사람에게 아빠라는 것의 만행을 말했고 오빠라는 사람은 사람에서 것이 되어 아빠라는 것이 한 것과 똑같은 짓을 아란에게 했다.

아란은 그 후로 꿈을 꾸기 시작했다.

아란의 꿈속에 나오는 남자는 아란이 꿈에 그리던 남자다. 큰 키에 넓은 어깨, 말끔한 피부, 쌍꺼풀이 없는 쫙 째진 눈, 튀어나온 눈썹 뼈와 오뚝한 코, 각진 얼굴. 아란이 바라는 얼굴을 한 남자는 아란의 꿈속에서 아란의 아빠라는 것과 아란의 오빠라는 것과 별다를 것 없는 말과 행동을 한다.

토악질이 나는 말과 행동을 하는 남자지만 어딘가 모르게 자신과 비슷한 향기를 풍겨서일까. 아란은 남자에게 이유 없이 끌린다. 끌려간다. 남자에게 서서히 빠져드는 아란은 그토록 싫은 쑤심을 꿈속 남자와 하는 상상을 하며 자신의 아래를 만진다. 아란은 무미건조한 표정으로 혼자 중얼거린다.

"이게 왜. 이게 왜 좋을까. 이게 왜? 도대체 왜."

아란의 삐뚤어진 턱은 음식을 먹기 힘들게 해서 아란의 몸에 뼈를 보이게 했다. 뼈가 보이는 아란의 잘록하게 들어간 허리를 지나 봉긋한 가슴에 안착한 손으로 쭈물거려본다. 아란은 여전히 무미건조한 표정으로 혼자 중얼거린다.

"여기도 딱히. 그냥 살덩어리 아닌가. 이게 왜. 이걸 왜 빨아대지?"

아란은 아빠라는 것과 오빠라는 것이 벌떡 세우듯 자신을 벌떡 일으켜 전신거울 앞에 세운다. 아란은 고개를 갸웃거려 자신의 얼굴을 반듯하게 보이게 하고 자신의 비뚤어진 턱을 숨긴다. 아란은 똑바르게 보이는 자신의 얼굴에 취해 얼굴을 부드럽게 애무하듯 쓰다듬는다. 아란은 비뚤어진 턱이 아쉬운 것인지 턱을 뽑고 싶은 것인지 두 손으로 턱을 잡아 바닥으로 떨어뜨리려고 하지만 당연히 불가능하다. 아란은 눈에서 코, 코에서 입, 입에서 턱으로 시선을 찬찬히 옮기며 눈물을 천천히 떨군다.

"턱만 아니었어도 먹고 싶은 거 먹으면서 살았을 텐데. 턱만 아니었어도 꿈에 그리던 남자한테 사랑받았을 텐데. 왜 내 얼굴을 망쳐서 내 마음도 망친 것들은 처 웃으면서 사는데 나는 왜 웃지 못 하는 걸까. 나는 왜. 나는 잘못한 것도 없는데 왜 이렇게 당해야 하는 걸까. 나는 뭘 잘못한 걸까. 나는 잘못 없는데. 나는 그냥 태어났을 뿐인데. 분명 내 잘못이 아니야. 누군가의 음모야."

맞다. 아란의 잘못이 아니다. 아란의 인생에서 아란이 잘못한 것은 없다. 그런데 왜 아란은 턱이 비뚤어질 정도로 처맞았을까. 그런데 왜 아란은 밥도 먹기 힘들게 된 걸까.

아란의 불행의 시발점은 아무도 알 수 없다. 전신거울 앞에서 알 수 없는 시작을 찾으며 서 있는 아란을 부르는 오빠라는 것의 목소리에 아란은 놀라 손으로 몸을 가린다. 오빠라는 것은 슬며시 들어와 아란을 대놓고 쳐다본다. 함부로 만진다. 오빠라는 것은 서 있는 아란을 그렇게 천천히 눕힌다.

"너도 나랑 하는 게 좋은 거야? 알아서 벗고 기다리고 있네. 거울 보면서 해볼까? 너 거울 보고 서 있는데 존나

꼴리더라."
아란은 아무런 대답도 하지 않는다. 다시 아란은 늘 그래왔듯이 진짜 자신을 위로 떠올려 보내고 당하는 아란의 상황을 영화를 보듯 관람한다. 두둥실 위로 떠난 아란은 꿈속의 남자를 찾는다. 꿈속에서 느껴진 자신과 향기가 비슷한 남자의 행동은 새아빠와 새오빠 같아서 싫은데 향기가 자신과 너무도 닮아서 그 남자의 품에 안기면 자신의 상처가 흔적도 없이 사라질 것이라고 믿는 미련한 아란이다.

아무런 소리도 내지 않는 아란의 뒤에서 헉헉거리는 소리를 내며 아란의 머리채를 잡고 박아대는 오빠라는 것이 아란에게 자꾸 말을 걸어 아란은 위에서 아래로 쿵 하고 떨어졌다. 아란이 외면하고 싶었던 당하는 자신과 합쳐져 아란은 자기도 모르게 소리를 질러버렸다.
"미안."
왜 사과를 하는지 알 수 없지만 아란은 자신과 같은 학교에 다니는 오빠라는 것이 아빠라는 것보다 자신의 인생을 더 휘두를 수 있다는 것을 직감적으로 알아서 사과를 냅다 한다.

"아니야, 그렇게 소리 지르고 그런 거 존나 좋아. 죽은 생선마냥 가만히 있어서 재미없었는데 오늘은 좀 재밌네. 아란아, 이거 한 번 입어 볼래?"
아란에게 입혀지는 옷은 가리고 싶은 곳은 보이는 옷 같지 않은 옷이다. 아란은 입기 싫어서 가만히 있는다. 억지로 입혀지는 옷은 오빠라는 것을 더욱 흥분시켰는지 아란을 더욱 격하게 주무른다.
"하... 너 진짜 물건이다. 너무 맛있어. 존나 맛있어... 아니 시발. 허리는 이렇게 가는데 가슴은 어떻게 있냐? 하.. 하아..윽.으"
아란의 요동치는 출렁거림이 멈추고 오빠라는 것은 갑자기 고백한다.
"너 그냥 나랑 사귈래? 학교에서는 비밀로 하고. 어때?"
"그럼 뭐가 달라지는데요?"
"음...솔직히 달라지는 건 없지. 근데 아빠가 너한테 손대는 거는 막아줄 수 있어. 어때? 나랑 사귀자. 나 너 없이는 못 살 것 같아. 나도 솔직히 우리 아빠 별로 안 좋아해. 성인 되면 우리 같이 나가서 사는 거야. 어때?"
"왜 아빠를 안 좋아해요? 오빠한테는 잘 해주잖아요."
"너 진짜 아무것도 모르는구나. 모르는 게 나으려나?"
"알려줘요. 궁금해요."
"나랑 사귀면 알게 될 거야. 나랑 사귀자. 어? 내가 잘해줄게."
"알았어요. 사귀어요."

아란의 대답이 기쁜지 입을 찢어 소름 끼치게 웃는 오빠라는 사람에서 오빠라는 것에서 다시 오빠가 된 것은 아란을 꼭 안아준다. 아빠란 것이 오지 않는 밤 아란은 오빠의 품에 안겨 꿈을 꾼다.
꿈속 남자는 말보다는 욕이 앞서는데 성적 매력을 풍기다. 왜 관능적일까. 왜 저 남자하고는 하고 싶을까. 아란은 오빠와 사귀지만, 오빠가 아니라 꿈속의 남자와 사귄다고 생각을 하기로 했다. 자신의 오빠는 공부를 못하지만 꿈속의 남자는 공부를 잘한다. 결국, 자신의 남자친구는 공부도 잘하고 잘생긴 남자인 것이다. 그렇게 생각하기로 하니 마음이 편해진 아란은 오래간만에 푹 자고 일어나 학교에 간다.

어쩔 수 없이 마른 아란의 몸을 시샘하는 것들도 있지만, 놀림거리로 삼는 것들도 있다. 아란은 어쩌다 학교에서도 왕따가 되었을까. 아란이 고아여서 입양 당한 사실은 어쩌다 퍼졌을까. 알 수 없는 비릿한 냄새의 시작을 쫓아 끊어버리고 싶은 아란은 오늘도 자신의 상황을 외면한 채 책상에 엎드려 학교가 끝나기만을 바라면서도 학교가 끝나면 가야 하는 집도 막막해 어쩔 줄 모르는 하루를 보낸다.

학교에서라도 가만히 있고 싶은 아란을 가만두지 못하는 것들은 아란을 가리키며 웃어댄다. 아란을 가리키며 하체를 앞으로 뒤로 움직인다. 아란에게 걸레를 던진다. 엎드려있는 아란을 일으켜 아란의 볼에 돈을 스친다.
"하, 이년 아깝긴 해. 턱이 좀 오버긴 한데 다른 게 훌륭하잖아. 예를 들어서~"
아란의 몸매를 손으로 그리며 아란을 희롱하는 남자 무리 안에 아란의 오빠도 있다. 아란의 오빠는 자신의 여자친구가 된 아란을 내려다보기만 할 뿐 말리거나 도와주지 않는다.

아란은 가만히 있고 싶어서 가만히 있어 보지만 아란을 부르는 여자무리의 손짓에 일어나 나간다. 아란은 남자무리의 괴롭힘이 나올까 여자무리의 괴롭힘이 나올까 생각한다. 여기저기 맞다 보니 생각은 끝났고 결론이 났다.
아란의 결론은 생각할 가치도 없다. 이거였다.

아란은 아무리 막말을 들어도 아무리 맞아도, 아무리 자신이 만져져도, 자신의 턱이 비뚤어졌어도 자신이 아름답다는 것을 안다. 아름다운 자신이 미천한 것들을 상대하는 것은 자신의 가치가 떨어지는 일이라고 여기는 아란은 침을 한 번 뱉고는 아무런 일도 일어나지 않은 듯 교실로 들어가 자리에 앉아 다시 엎드린다. 엎드리니 쏟아지는 잠에 빠져 꿈을 꾸며 꿈속에서만 만날 수 있는 남자에게 말을 걸어본다.

"안녕하세요. 저는 김아란이라고 합니다."
"네, 안녕하세요 아란씨. 저는 B라고 합니다."
"B요? 왜 B죠?"
"음. 저는 그렇게 생각하지 않는데 제가 사람들의 모든 것들을 부숴버린다고 저를 Break에서 B를 따와서 B라고 부르더라고요. 뭐 그게 중요한가요?"
"아니요. 그건 아닌데 진짜 이름을 알고 싶어서요."
"뭐가 그렇게 급해요. 천천히 해요. 우리 천천히."

적당히 아래로 깔린 목소리도 멋스러운 이 남자를 갖고

싶은 아란은 어떻게 해야 좋을까 생각한다. 아란은 시도 때도 없이 생각하지만, 아란의 쉼 없는 생각은 모조리 깡그리 다 쓸모없는 생각이다.

아란은 자신의 가슴을 좋아하는 오빠가 생각났는지 옷에 달린 단추를 하나씩 푼다. 다 풀려 벌어진 셔츠 사이로 보이는 아란의 가슴을 보고 아래가 두툼해진 B는 아란의 가슴을 속옷 밖으로 꺼내 빨아대기 시작한다. 아란은 처음으로 신음을 낸다. 아란의 숨소리와 B의 숨소리가 합쳐져 아란의 꿈을 뜨겁게 달군다. 절정에 이를 때쯤 맑게 울리는 학교의 종소리가 흐린 현실로 아란을 잡아당긴다. 아란은 집으로 빨리 가서 잠을 자고 싶어 집으로 뛰어간다. 아란은 집에 도착하자마자 침대에 누워 잠을 부른다.

"갑자기 가버려서 죄송해요."

"괜찮습니다. 그럴 수도 있죠. 하던 거 마저 할까요?"

"아니요, 저는 우선 B씨의 이야기를 듣고 싶어요. 솔직히 B씨가 제 꿈속에서 벌인 짓들이 깨끗하지는 않잖아요? 왜 그랬는지 알고 싶어요. 저는 B 씨를 믿고 싶거든요."

"짓. 짓이라. 정말 제가 한 일들이 짓이라고 생각해요? 난 그렇게 생각하지 않는데. 나는 정당한 행동을 했을 뿐이에요. 어떤 게 짓인 건데요? 내가 뭐 잘못했나?"

"음.. 아무리 형한테 맞았어도 형을 너무 과하게 때린 것 같기도 하고.. 또 어.. 형은 그 장애가 있잖아요. 그런데 그런 거를 생각하지 않는 거 같아서요.."

"아란씨, 장애인을 비장애인처럼 대해주는 게 차별을 하지 않는 거예요. 그래서 저는 똑같이 대해준 거고요. 그리고 내가 형을 과하게 때렸다고요? 그게 왜 과해요? 그냥 맞아서 때려준 건데. 그럼 맞고만 있어요? 똑같이 어떻게 때려요. 아란씨 말처럼 나랑 형은 다른 사람인데. 다를 수밖에 없죠. 차별은 하지 않되 차이는 존중해야죠. 안 그래요?"

아란은 B의 말이 맞는지 안 맞는지 알 수 없지만, 그냥 B의 편이 되어주고 싶어서 맞다고 한다. 아란의 순종적인 태도가 마음에 들었는지 B는 아란에게 부드러운 입맞춤을 선물한다. 아란을 감싸는 B의 혀에 자신의 모든 것을 내어주고 싶은 아란은 적극적으로 B를 리드한다. 아란이 오르가즘에 닿아갈 때쯤 오빠의 소리가 들려 아란을 눈을 뜬다. 눈을 뜬 아란의 앞에는 오빠가 있었고 오빠는 아란의 손이 있는 곳을 보더니 놀란다.

"아란아, 너 사실 존나 밝히는 년이구나? 나랑 그렇게 하고 싶었어? 그럼 말을 하지. 학교에서도 하려면 할 수 있는데."

아란은 자신의 손이 왜 자신의 아래를 감싸고 있는지 두 번째 손가락이 왜 자신의 구멍 안에 들어가 있는지 알 수 없지만 좋았다는 감정은 알 수 있다.

아란이 꿈을 꾸며 B에게 자신의 몸이 만져지는 것은 좋은데 오빠가 자신의 몸을 만지는 것은 좋지 않다. 차이가 뭘까. 아란은 차이를 찾으려고 하지만 오빠의 손에 다 벗겨져 오빠에게 자신의 구멍만이 찾아질 뿐이다.

오빠는 아란의 구멍을 집요하게 손가락으로 쑤시다가 "아.."하는 한숨을 쉰다. 오빠의 손가락에 빨간색이 묻어나왔다. 아란이 가장 좋아하는 일주일이 찾아온 것이다.

아란의 아빠라는 것은 아란이 생리를 할 때도 쑤시지만 아란의 오빠는 아니다. 당연한 것을 배려라고 느끼는 아란은 오빠를 보며 눈을 잠시 반짝거린다. 아란의 아빠라는 것은 아주 가끔 집에 들어와 아란의 건강과는 상관없이 쑤셔대지만, 아란의 오빠는 아란이 어딘가 아파 보이면 하지 않는다. 아란의 아빠라는 것은 아란을 때리지만, 아란의 오빠는 아란을 때리지 않는다. 아란은 B와 오빠라는 것의 차이를 찾다가 아빠라는 것과 오빠의 차이를 찾아 오빠를 처음 본 날 느꼈던 설렘을 찾고는 멍청하게 뿌듯해 하고 있다.

이번 일주일은 아빠라는 것이 찾아오지 않아 자신을 건드리지 않기를 바라는 듯 아무것도 아무도 믿지 않는 아란이 믿지도 않는 하느님을 찾으며 두 손을 모아 기도를 드린다.

"제발, 이번 주에 아빠라는 새끼가 집에 들어오지 않게 해주세요. 부탁드립니다. 이번 주라도 편하게 보내게 해주세요. 부탁드립니다."

모처럼 이루어진 아란의 바람은 바람처럼 가볍고 시원하다. 아무도 자신에게 손대지 않는 귀중한 일주일을 학교에 낭비하고 싶지 않아 학교를 빠지고 집에만 있는 아란은 밥도 굶은 채 잠만 잔다. 잠이 오지 않으면 약으로 보이는 것들을 입에다 처넣고 삼키고서라도 잠을 잔다.

아란은 B라는 것에게 중독되어 버렸다.

아란의 남자친구는 아란의 오빠가 아니라 꿈속의 남자 B가 되었다. 아란은 지독한 냄새가 나는 B라는 것을 지독하게 사랑하게 되어 B에게 집착까지 하게 되었다.
B가 하루라도 꿈속에 나오지 않는 날이면 아란은 자신의 몸에 불이라도 닿은 듯 찢어지는 비명을 지르며 자신의 몸을 갈기갈기 찢고 싶은 듯 칼로 몸을 긋는다. 그러다 지쳐 아란은 잠이 들고 아란의 꿈속과 정신을 망가뜨리는 B가 나온다.

"죽지마, 아란아."
B의 말은 아란을 위한 걸까, 자신이 아란의 꿈속에서라도 존재하고 싶어서 아란을 살려두려는 이기심일까. 앞뒤가 다른 B의 진심은 뒤에 있는데 아란에게 보여주는 앞을 믿는 아란은 어리석게도 B의 말에 살고 싶다는 생각을 한다. B에게 사정한다. B는 아란에게 사정한다.

"당신이 내 꿈에 나오지 않는 날이면 나는 죽고 싶어요. 당신이 나를 찾아오지 않으면 나는 살아갈 이유가 없어요. 당신이 내 꿈속에서 어떤 저질스러운 일을 한다고 해도 나는 당신을 사랑할게요. 그러니까 매일 매일 제발 나를 찾아와주세요. 그래 주면 안 될까요?"

"내가 어떤 짓을 했어도 괜찮아요? 내가 아란씨와 같은 여자를 괴롭혔어도 괜찮아요? 아란씨가 본 내 인생은 일부일 뿐이에요. 내 모든 걸 알면 나를 다 혐오하던데. 징그럽다는 듯이 쳐다보던데. 그러면 내가 너무 아파요. 아란씨는 안 그럴 거죠? 나의 어떤 모습을 보더라도 미워하지 않겠다고 거부하지 않겠다고 약속해줘요. 그럼 나는 아란씨를 매일 찾아와서 사랑해줄게요."

아란은 자신과 너무도 닮았지만, 훨씬 악한 남자의 눈에 맺히지도 않고 보이지도 않는 눈물이 보이는 듯 남자의 얼굴을 손으로 닦아준다. 남자는 아란의 손을 자신의 입으로 당겨 따듯한 입술의 온기를 전하려 하지만 그의 입술은 차갑다.

"나는 당신이 어떤 일을 저질렀어도 버리지 않아요. 나는 무언가를 가져본 적이 없어서 버릴 줄도 모르거든요. 당신의 이야기를 나에게 들려주지 않을래요?"
아란의 아름답게 피어난 부탁을 승낙하는 듯 아란을 꼭 껴안으며 의미심장한 미소를 짓는 B는 자신의 이야기를 시작한다.

B의 이야기는 어떨까. 자신의 형에게 퍼부은 저주보다 나은 이야기가 나오기를 바라보지만 B의 이야기는 B가 뱉은 욕들만이 있다. B는 말보다는 욕을 하는 사람의 가죽을 쓴 짐승이다. 짐승이라고 할 수 있을까. B는 무엇에도 빗대기 힘든 악의 색을 입은 무언가다.

B는 양심도 없는지 자신의 이야기를 하며 조금도 부끄러워하지 않는다. 조금의 숨김도 없이 진실을 얘기한다. B는 남의 시선을 의식하는 듯하면서도 아란의 시선은 의식하지 않는다. B에게 아란은 남의 시선도 되지 못 하는 것일까. B는 아란을 자신처럼 생각하는 듯 아주 편한 옷을 입고 자신의 얘기를 한다. 아란은 B가 목이 다 늘어난 티와 무릎이 튀어나온 바지를 입고 있어도 빛나는 트로피를 보듯 섬긴다. 살 이유가 없던 아란에게 보잘것없는 B는 점점 삶의 이유가 되어간다.

"첫사랑이 뭐지. 처음 사랑한 여자인가. 처음 사귄 여자인가. 잘 모르겠네. 넌 알아?"
"내가 뭘 알겠어요. 난 그냥 B씨를 사랑해요. B씨가 나의 첫사랑이에요."
"그래. 그래야지."
B의 대답을 듣고 더욱 B의 품으로 파고들어 안기는 아란은 B의 이야기를 꿈쩍도 하지 않고 경청한다.

"고등학생 때 처음으로 여자를 사귀었어. 그냥저냥 나쁘지 않은 애였어. 외로움이 많아 보였달까? 나도 외로웠어. 그래서 잘 통했어. 나는 형이 죽은 후로 집에서 투명인간이었고 그 애는 그냥 태어날 때부터 집에서 투명인간이었어. 태어났는데 태어나지 말았어야 하는? 뭐 그런 거지. 그 아이의 외로움과 나의 외로움이 만나니까 외로움이 배가 됐어. 만나고 있는데 서로를 만지고 있는데 따로 있는 것처럼 다른 곳을 보고 만져지지 않더라. 분명 함께

하고 있는데 분명 서로를 남자친구, 여자친구라고 소개를 하는데 서로를 알기 전보다 불행했어. 이 아이랑 말만 하면 애는 쳐 울었어. 그 일그러진 얼굴은 내 속을 역겹게 만들었어. 나는 못 할 소리를 하지 않았다고 생각했는데 못 할 소리였나봐. 울더라. 왜 우냐고 물어본 나를 경멸하듯 쳐다봤어. 엄마한테서, 아빠한테서 느껴진 경멸의 시선을 여자친구라는 사람한테서도 느끼니까 울렁거리던 마음이 차갑게 굳어서 얼음이 되더라. 얼음의 끝에 고드름이 자라나서 뾰족해졌어. 자라난 고드름으로 그 아이를 찔렀어. 그 아이는 자신과 비슷한 가정사를 가진 나의 얘기를 듣고 우월감을 느끼며 위로를 받았었나 봐. 그 위로가 무너졌는지 피를 토하더라. 내 입에서 위로의 말 대신, 나의 힘든 얘기 대신 내 자랑이 나올 때면 인상을 썼어. 그게 거슬렸어. 왜 내가 잘한 거는 축하해주지 않고 내가 힘든 거에는 미소를 짓지. 그 아이는 나를 좋아한다고 했지만, 아니었어. 그 아이는 나를 좋아한 게 아니라 나의 불행을 좋아한 애야. 그래서 고드름에 찔려도 빨간 피가 아니라 파란 피가 흐르더라. 파란 피.. 나도 아마 파란 피가 흐를 거야. 나도 그 여자애처럼 남의 행복을 축하하지 않고 남의 불행을 축하하는 축복을 축복으로 쓰지 않는 인간이니까. 그렇게 첫 연애가 끝이 났어. 연애하는 동안 사랑했냐고? 그 나이에 무슨 사랑을 알겠어. 해봤자 좋아하는 감정 그게 다겠지. 좋았냐고? 솔직히 좋지도 않았어. 심심했을 뿐이야. 같이 놀 사람이 필요했을 뿐이고. 내가 살면서 가장 좋았던 거는 나를 때렸던 형 몸에 내 주먹이 박히고 주먹 끝에서 붉은 꽃이 피어오른거거든.

그날보다 더 행복한 적은 없어. 다른 사람의 몸에 주먹을 박고 주먹 끝에서 다시 한번 붉은 꽃을 피어오르게 하면 그날의 짜릿함을 다시 느낄 수 있을까 싶어서 때려볼까도 했는데 때리고 싶지 않더라. 아플까 봐? 전혀 그런 감정이 아니야. 때려봤자 피가 터지지 않아서 내가 웃기에는 부족하겠구나 싶어서 안 때렸어. 대신 욕은 조금 해줬어. 나는 욕이라고 생각 않는데 내 말을 듣는 사람들은 나보고 지랄하지 말라고 하니까 욕인가? 욕이라기보단 상대를 위한 진심 어린 충고인데. 얼굴에 여드름이 올라오면 피부과 가서 없애라고 했고 옆구리에 살이 차오르면 살을 빼라고 했고 너무 편한 옷을 입고 날 만나러 나오면 옷을 갈아입으라고 옷 끄덩이를 잡고 말해준 게 다야. 근데 내 표정에 기분이 더러웠대. 못 볼 걸을 본 것처럼 말을 한 것 같았대. 상처받았대. 나를 보면 트라우마가 재생된대. 나를 보면 괴롭대. 내가 무섭대. 갑자기 막 쳐 울더라. 왜 지적하냐고. 왜 자기한테 그러냐고. 자기가 뭘 잘못했냐고. 너는 뭐가 그렇게 잘났냐고. 말을 그렇게밖에 못하냐고. 삿대질 하지 말라고. 건드리지 말라고도 하더라. 그게 지적이야? 배려한 거 아닌가? 난 도와준거야. 불쌍한 것들을. 아란아, 네가 듣기에도 이게 지적이야?"

아란은 지적을 넘어 상대에 대한 모욕이라고 생각하지만, 아니라고 해야 할 것 같아서 자신의 생각을 철저히 숨긴다. 지적이 아니라고 답했지만 곱씹으면 곱씹을수록 뇌가 없는 듯한 B의 말과 행동은 무례한 것들 투성이다. B의 말은 아란의 아빠라고 불리는 것이 뱉어대는 글자들과 다를 바 없는 말로 만든 칼날이다. 아란은 잘 알고 있으면서도 이상하리만큼 B의 말에 복종한다.

"나는 누구나 나 같은 생각을 한다고 생각해. 오히려 역겨운 건 그걸 뒤로 숨기는 사람들이지. 오히려 나는 나쁜 생각을 안 해. 막 그런 거 있잖아. 학교에서 자기를 놀리는 애를 죽이고 싶다는 생각. 난 그런 거 안 해. 그런 생각을 하는 게 너무 무섭잖아. 생각이 행동이 돼서 살인을 저지르면 어떡해? 나는 그게 참 역겹더라. 처음 만났던 그 애는 매일 자기의 언니를 죽여버리고 싶다고 했어. 자기 언니의 입을 찢어 버리고 싶다고 했어. 나는 그 애의 말이 소름 끼쳐서 소름 끼친다고 말했어. 어떻게 그런 생각을 하고 입 밖으로 내뱉냐고. 너무 소름 끼친다고. 그 여자애는 내 말이 소름 끼친다고 했어. 생각일 뿐인 거를 구체적으로 생각하는 네가 더 무섭다고. 말을 말로만 끝내야지 그거를 했을 때를 상상하는 네가 소름 끼친다고. 자기는 할 생각 없이 그냥 그러고 싶다 이건데 나는 그게 아니라 진짜 할 거를 생각한다고 내가 소름 끼친대. 나는 이해가 안 가. 말로 내뱉는 거 자체가 그 사람의 입을 찢는 거를 이미 생각하고 어떻게 찢을지 계획을 세운 거 아니야? 어떻게 그냥 아무 생각 없이 입을 찢어 버리고 싶다고 말해? 내가 소름 끼치는 거야? 걔가 소름 끼치는 거 아니야? 아직도 이해가 안 가. 나는 누구를 죽이고 싶다, 입을 찢어 버리고 싶다 이런 말 전혀 안 하잖아. 나는 그냥 살 빼라, 얼굴 고쳐라 이런 조언밖에 안 하는데 왜 내가 소름 끼치는 것한테 소름 끼친다는 소리를 들어야 해?

어이가 없었어. 그래도 그년 맛은 한번 보고 싶더라. 같이 잤어. 같이 자고 나서 바로 헤어졌어."

아란은 어이가 없다. B가 미친놈 같아서 어이없다. 그래도 아란은 B가 듣고 싶어 하는 칭찬을 해준다.
"잘했어."
아란의 고작 세글자가 마음에 들었는지 흡족한 표정을 지으면 아란을 소중하게 안아주는 B의 얼굴에는 그 어떤 온도도 찾아볼 수 없다. B에게 아란은 그저 자신의 말을 잘 듣고, 듣고 싶은 말로만 답하는 편리한 도구일 뿐이다. 아란은 아는지 모르는지 B의 충실한 쓰레기통이 되어 B의 말을 몸에라도 새겨 놓을 듯 최선을 다해 듣고, 최선을 다해 B의 편을 들어준다.
B는 그런 아란의 모습을 보며 아란을 더욱 탐하고, 아란은 하루의 절반을 B와 함께하며 서로를 위로하고 자기도 위로한다.

"역시, 너는 나야, 나는 너고."

알 수 없는 말을 하는 B지만 아란에게는 더는 B의 말은 중요하지 않다. 어차피 아란은 B가 어떤 말을 해도 B를 열렬히 사랑할 것이기에 무엇을 말하고 어떠한 행동을 하던 아란은 생각하지 않는다. B의 말은 아란에게 곧 법이고, B는 완벽한 아란의 전부, 아란이다.

아란은 한 가지 불만이 있다. B가 얘기해주는 이야기 속

아리따운 여자가 마음에 들지 않는다. 그 여자는 얼굴에 손 하나 대지 않고도 아름다워서 재수 없다. 감정 따위 존재하지 않는 B는 유독 그 여자 얘기를 할 때 진심으로 얘기를 한다. 기분이 나쁜 아란은 만약, 그 여자를 닮은 사람을 만난다면 꼭 얼굴을 뜯어버릴 것이라고 다짐한다.

B는 아란의 불같은 화를 아는지 모르는지 그 여자 얘기에 집중한다. 아란은 그만하라고 B에게 말하고 싶지만, B는 자신의 말에 토를 다는 것을 극도로 싫어해서 자신을 극도로 싫어하게 될까 봐 오늘도 역시 완벽하게 B를 이해하려고 한다.

이해의 끝에는 배려 대신 그 여자에 대해 부러움과 질투와 시기가 남았다. 만나본 적도 없는 여자에게 부러움과 질투와 시기를 느끼고 그 여자만 아니었다면 B를 차지할 수 있다는 생각에 이성을 활활 태워버리는 아란은 자신의 인생의 탓을 그 여자에게 돌려버리기까지 이른다.

이를 부득부득 갈면서 일어난 아란은 그 여자와 닮은 얼굴로 성형을 하기로 하지만 돈이 턱없이 부족하다. 아란은 어떻게 하면 돈을 많이 벌 수 있을지 골똘히 생각하다 오빠에게 연락한다.

"돈을 벌고 싶어. 돈을 벌게 해줘."

오빠는 아란의 메시지를 보고 월척을 낚은 낚시꾼의 미소를 짓는다. 오빠는 학교가 끝난 후 곧장 집으로 가 아란을 찾는다.

"아란아, 돈이 필요해? 왜?"

"그냥 필요해."

"그럼 앞으로 나랑 할 때마다 돈을 줄게. 근데 조건이 있어. 죽은 생선처럼 있으면 안 돼. 좀 신음도 내고, 허리도 움직이고, 내 것도 빨아주고 해야 해. 적극적으로. 할 수 있지?"

"응. 할 수 있어. 얼마 줄 건데?"

"그건 나도 돈을 받아봐야 알 거 같은데. 일단 하자 우리."

아란에게 이것저것 요구하는 오빠는 평소보다 한껏 더 들떠 보인다. 아란은 B의 진심을 가진 여자를 닮기 위해 오빠의 요구를 전부 들어준다. 자신을 이렇게 비참하게 만든 B라는 사람을 죽이고 싶으면서도 자신과 닮아서, 자신 같아서, 자기 대신 자신을 사랑해주는 사람이라서 B를 죽이고 싶으면서도 사랑한다. 아란은 B에게 애정만을 느끼다가 증오만을 느끼다가 애정과 증오를 동시에 느껴 혼란스럽다.

혼란스럽지만 돈이 필요한 아란은 최선을 다해 오빠의 물건을 빤다. 오빠는 몸이 녹아내리는 듯 흐느끼는 숨소리를 연신 뱉다가 아란의 입에 싸고 만다. 아란에게 삼키라고 한다. 아란은 구역질이 올라오는 것을 참으며 삼킨다. 오빠는 만족스러운 듯 무릎을 꿇고 자신의 것을 먹은 아란의 머리를 사랑스럽게 쓰다듬어준다.

달콤한 목소리로 씻고 나오라고 한다. 아란의 오빠는 아란이 씻고 나올 시간에 맞춰 유채꽃과 꿀 향이 은은하게 퍼지는 아란이 좋아하는 차 한 잔도 아란에게 준다. 아란은 차를 한 잔 마셨을 뿐인데 깊은 잠에 든다.

"하...난감하네. 깨워야 해 말아야 해."
당연히 깨워야 하는 건데 아란의 꿈에 있는 아란이 사랑하는 B는 아란을 깨울 수 있으면서 깨울지 말지 고민한다. 어쩌면 B는 아란이 잠을 잘 때만 존재해서 자신이 더 존재하고 싶어서 고민하는 척을 하는 것일 수도 있다. 어쩌면 B는 아란의 인생에서 아무것도 해줄 수 없는 지나간 인생일지도 모른다. 어제가 오늘에게 무엇을 해줄 수 없듯이, 오늘만 내일에게 무엇을 해줄 수 있듯이 시간은 앞으로만 흘러가서 지나간 것은 앞으로 올 시간에게 무엇을 해줄 수 없다. B는 아란에게 전부지만, 아란에게 해줄 수 있는 건 전부 없다.

아란의 몸을 보며 입맛을 다시며 연신 사진을 찍는 오빠는 뿌듯한 듯 어깨를 으쓱인다. 아란의 몸을 구석구석 찍는다. 아란도 제대로 보지 못했을 곳까지 깊숙하게도 찍는다. 아란이 차라리 잠들어 있는 게 나은 걸까. 아란의 모습은 망가진 인형처럼 팔은 괴상하게 꺾이고 다리는 벌려져 있다.
아란의 가슴을 카메라로 가까이 들여다보다가 흥분한 오빠는 아란의 가슴을 주물주물거리다가 빤다. 깨문다. 아란은 자신의 몸이 빨리고 깨물리는데도 잠에 빠져 일어나지 못한다. B는 지켜만 본다. 인상을 구긴다. 망설이다가 이내 만다. B는 아란의 꿈에서 멀리 걷는다.

아란의 정신이 점점 돌아오고 있는지 아란은 꿈속에서 B를 찾는다.
"자기야? 자기야 어딨어??"
B는 멀어지는 발걸음을 되돌려 아란에게 가까이 온다.
"내 인생에서 가장 큰 죄는 아들을 버린 거래, 그다음은 말과 표정, 손짓으로 사람들에게 상처를 준 거래. 네가 불행하지 않기 위해서는 내가 죄를 짓도록 만든 이 두 사람을 쳐 죽여야 해. 무슨 말인지 알겠지?"
"갑자기 나타나서 사람을 죽이라고? 무슨 말인지 모르겠어."
"아씨, 이 골빈년아. 네가 그만 불행해지고 싶으면 내가 죄를 짓게 한 사람을 죽여야 한다고. 그럼 난 죄를 안 지었을 것이고, 내가 죄를 안 지었으면 너도 불행하지 않을 테니까.“
자신이 지은 죄에 대한 아무런 죄책감과 책임이 없는 악랄한 B의 말에 어이가 없는 아란이지만, B의 심기를 건드릴까 조심스레 묻는다.
"당신과 함께했던 사람들은 이미 다 죽은 거 아니에요? 내가 죽은 사람을 어떻게 죽여요."
"내 말 잘 들어. 나는 너의 전생이고, 너는 나의 현생이야. 내가 죄를 짓게 한 사람도 어딘가 현생을 살고 있겠지. 그러니까 넌 내가 죄를 짓게 만든 사람을 찾아서 족치라고. 그럼 난 죄를 짓지도 않았을 것이고, 나를 이렇게 만든 원인도 없어질 거고 나는 이 지긋지긋한 꿈속에서 빠져나올 수 있으니까. 너의 전생인 내가 꿈에 갇혀있는 건 이것들 때문이고, 내가 지은 죄 때문에 네가 지금이 지랄이 난 거라고. 넌 지금 내 인생에 대한 업보야. 알아들어?"

"어떻게 찾아요?"

"내가 그걸 어떻게 알아. 네가 알아서 해야지. 너는 어떻게 이렇게 대가리에 든 게 없냐."

B의 몰상식한 말에도 담담한 아란은 상쾌한 소리로 웃는다.

"역시 내가 불행한 건 내 탓이 아니었네요? 역시 나는 잘못이 없네요? 그럴 줄 알았어요. 내가 잘못했을 리 없잖아."

희망에 가득 찬 아란은 B의 말을 제대로 알아들은 것인지는 모르겠지만, 자신의 인생이 불행한 게 남의 탓인 게 확실해져 기쁠 뿐이다. 다만, 아란은 어떻게 하면 자신의 인생을 망친 것들을 찾아 죽일지 막막할 뿐이다. 찾아서 죽일 수 있을지 걱정될 뿐이다.

기쁨의 한 편에 막막함과 걱정이 자리 잡은 아란은 B와 닮았지만, 다행히 분명하게도 B는 아니라서 도덕과 양심이 있다. 살인을 하기에는 선한 사람이다. 아란은 자신의 인생을 망쳤다고 B가 세뇌한 사람을 보아도 절대 죽이지 못할 것이다. 그들은 죄가 없기에 그래야만 한다.

B가 죽었으면 하고 원하는 것들은 B가 한때 사랑했던 사람이고 어쩌면 여전히 사랑하고 있는 사람이다. 확실하지는 않지만, B도 태어날 때는 사람이었기에 사랑이라는

감정이 있어서 아마도 그럴 것이다. B가 다시 태어날 수 있도록 B가 죄를 짓게 한 사람들을 아란이 죽이면 B는 정말 다시 태어날 수 있을까? 아니, 전혀. 그렇지 않다. B가 죄를 짓게 한 사람은 없다. B의 죄로 인해 고통받은 사람들만 있을 뿐. B의 지독한 피해의식과 자기연민이 B라는 한 사람을 스스로 구원하려고 망상을 휘두르고 있다. B는 어떻게 해도 다시 현실의 삶을 살 수 없다. 오직 꿈속만을 유영하다 그렇게 서서히 무(無)를 향해 떠내려갈 뿐이다.

아란의 꿈이 깊어지고 꿈이 잦아지고 잠에 빠질수록 B는 바람에 날리는 모래처럼 서서히 어딘가로 날아간다. 아란은 늘 그렇듯 바보같이 아무것도 모른다. 아무것도 모른 채 눈을 뜨고 아무것도 모르는 표정으로 일어나 살기 위해 밥을 조금 씹어 넘기고 다시 잠을 잘 것이다.

아란이 눈을 떴다. 오빠는 아란에게 팔베개를 해주고 있다. 아란은 입가가 슬며시 올라가 있는 오빠를 본다. 잔잔하게 퍼져있는 오빠의 미소가 좋은지 혼잣말인 듯 아닌 듯 아주 작은 소리를 입 밖으로 낸다.

"오빠는 나를 사랑하는 걸까. B는 나에게 누군가를 죽이라고 했는데. 명령이었어. 오빠도 나에게 이렇게 해라, 저렇게 해라. 명령하잖아. 사랑하면 명령하는 걸까. 사랑하면 시키는 걸까. 나는 잘 모르겠어. 나는 사실 아는 게 없어. 아는 게 없어서 뭘 해야 할지 몰랐는데 해야 할 게 생겼어. 이 악의 고리를 끊기 위해서는 B씨를 위해 살인을 해야 하고, 나를 위해 살인을 해야 해. 나 살인해본 적 없는데 할 수 있을까? 감옥 가는 거 무서운데. 지금보다 나을까? 나 사실 너무 하기 싫어. 밑이 너무 아파. 가끔 피도 나. 이러다 죽는 거 아닐까 무서워. 죽고 싶은데 피를 보면 죽기 무서워. 나는 왜 이럴까. 오빠가 그랬지. 성인이 되면 같이 나가 살자고. 나 그때까지 살 수 있을까?"

아란의 마음속 깊이 자리한 설움이 처음으로 세어 나왔다. 아란은 아름답게 태어나서 아름답게 자란 사람이라서 무엇이 선하고 무엇이 악한지 안다. 아란은 여태껏 악한 적이 없는데 이제 악해야 한다. 아란은 자신을 사랑하는 마음이 있어서 사랑하는 자신이 악해지지 않기를 바라면서도 자신의 전생이 자신의 이상형인 B라서 자신을 안아주는 B라서 악해지기를 억지로 다짐한다.

오빠라는 것도 눈을 뜬다. 오빠는 자신의 팔을 베고 다시 곤히 자는 아란을 보며 알 수 없는 표정을 짓는다.

"미안해."

미안하면 여기서 멈추면 되는데 오빠는 절대 멈추지 않는다. 더욱 추악하게 아란을 괴롭힌다. 아란의 오빠는 무엇을 위해 이토록 아란을 악의 구렁텅이로 빠뜨리는 걸까. 오직 자신의 행복만을 위해 움직이는 오빠에게 아란은 수단일 뿐이다. 도구라는 물건이 된 아란도 눈을 뜬다.

"배고파."

아란의 배고프다는 말에 아란이 좋아하는 것들은 모조리

다 시켜주는 오빠의 모습에서 기시감을 느끼는 아란이지만 무시한다. 아란의 촉은 아란이 살아온 인생이 만들어 놓은 빨간불 같은 건데 아란은 도와주려는 빨간불을 거들떠보지도 않는다. 그러다가 문뜩 궁금해서 묻는다.

"왜 이렇게 잘해줘?"

"어? 그냥. 뭐.. 밥 먹는 건데 뭐.. 아 그 돈은 내일 줄게. 꽤 될 거야."

"고마워. 그런데 어떻게 버는 거야? 나 그냥 오빠랑 하는 것뿐인데 이게 어떻게 돈이 돼?"

"어? 그냥 뭐... 되던데?"

어물쩍 넘어가는 오빠의 대답이 수상하지만, 아란은 그냥 넘어간다. 그냥이라는 말은 아무런 이유가 없어서 꽃밭의 향기로운 사랑을 풍기기도하지만, 그냥이라는 말은 아무런 이유가 없어서 가시밭의 비릿한 혐오를 풍기기도 한다. 오빠의 그냥은 후자인데, 아란은 그저 돈을 받을 생각에 기쁘다. 돈으로 자신의 턱을 돌리고, B가 사랑한 유일한 사람과 닮아질 수 있다는 것이 좋을 뿐이다.

아란은 모순적이다. 자신이 싫어하는 B의 사랑을 받은 여자를 죽이고 싶어 하면서도, 죽여야 하면서도 그 여자를 닮고 싶어한다.

B는 모순덩어리다. 뭐 하나 맞는 것이 없다. 인간 자체가 잘못됐다. B는 자신이 유일하게 사랑했던 사람을 아란에게 죽이라고 시켰다. 그 사람 때문에 자신이 꿈에 갇혔다는 망상에 빠져 아란에게 명령을 내렸다. 하지만 B는 그녀를 사랑했다고 한다.

모순으로 이어지는 B와 아란은 B라는 한 사람의 죄로 시작한 악연임이 틀림없다. 아란은 이 사실을 아는지 모르는지 꿈속을 헤매며 B를 찾고 B만을 바라본다. B에게 사소한 것 하나하나 얘기한다. B는 아란의 이야기를 들으면서 귀를 후빈다. 표정을 찡그린다. 아란은 자신의 이야기가 재미없어 그런가 싶어서 자신의 말을 줄인다. 아란은 하루에 말을 열 마디도 하지 않는다. 학교에서도 집에서도 아란의 말을 들어주는 사람은 없다. 심지어 꿈속에서도 자신의 말을 들어주는 사람은 없다. 아란은 오직 말을 듣고, 대답만 한다. 대답 역시 자신이 원하는 답을 하는 게 아니라 상대방이 원하는 답을 문제를 풀듯이 내놓는다.

집에 아빠가 돌아와 아란을 찾는다. 오빠는 아란을 찾는 아빠를 막는다. 아빠는 오빠를 뿌리치며 언성을 높인다. 퍽 하는 소리도 들린다. 오빠는 아빠를 질질 끌고 간다. 아란은 아빠가 자신에게 손대지 않아 마음을 놓고 방 안 구석에서 나와 물을 마신다. 목을 축인 아란은 한숨을 쉰다. 아란의 내쉬는 숨은 보이지 않지만 어마어마한 무게를 가지고 있는 듯 땅으로 푹 깊게 꺼진다.

날이 밝고 아란은 교복을 입고 학교에 간다.
"다녀오겠습니다."
아란은 인사를 하고 나간다. 인사를 하는 아란을 보는 아빠의 아랫도리는 두툼하게 차올라있다. 아빠의 손에 쥐어진 핸드폰에서 재생되는 동영상은 아빠의 아랫도리를 더욱 두텁게 만든다. 침을 삼키게 한다. 오빠도 거실로 나와 아빠에게 인사를 하고 학교에 가려고 한다.
"야, 너 일 잘하네. 잘했다. 이 정도면 뭐 돈 문제 없겠는데? 근데.. 좀 약해.. 더 과한 것도 되나? 요즘 이런 거 많아서 이렇게 격하지 않은 건 금방 인기가 식어. 하드코어도 가능한가?"
"하드코어요?"
"안돼?"
"아니요. 되요."
아빠의 무표정은 오빠도 얼게 하는 듯 오빠는 얼어붙어 무조건 된다고 연신 말한다. 오빠는 골똘한 표정을 지으며 어떻게 하면 아란을 설득시킬지 생각한다. 어금니를 우드득 갈며 주먹을 부들부들 떤다. 오빠 역시 아란처럼 아빠라는 것이 싫은 듯해 보인다.

학교에서 오빠와 아란은 남남이다. 아란이 고아라는 사실과 어디로 입양되어 살고 있다는 사실은 학교에 다 퍼져 있지만, 오빠와 한집에 살고 있다는 사실은 그 아무도 모른다. 오빠는 학교에서의 자신의 아무것도 아닌 지위를 지키기 위해 아란이 괴롭힘당해도 모른 척하고 오히려 교묘하게 일조한다. 오빠는 아란을 이용한다. 아란의 사진은 그렇게 학교에도 퍼진다.
아란은 자신을 향한 불쾌한 시시덕거리는 소리와 손짓이 많아졌음을 알지만, 할 수 있는 거 모른 척하는 것밖에 없기에 책상에 두 손을 포개어두고 살포시 베고 자는 척을 한다. 눈을 감으면 잠이 와서 영원의 잠에 빠지고 싶으면서도 삶에서 꿈 같은 사랑을 하고 사랑을 받는 것을 꿈꾸는 아란은 아무렇지 않음을 흉내 낸다.

아무리 자신을 향한 소리와 손짓이 커져도, 아무리 괴로워도 아란은 괜찮다고 말한다. 꿈속에서 보이는 진짜 남자친구라고 생각하는 B가 자신의 말은 따분하고 지루하다는 듯이 듣지 않고, 귀에서 귀지를 파내듯 뱉어내도 아란은 괜찮다. 아란은 그렇게 모든 것에 괜찮다고 주문을 걸어 취한 듯 살아간다.

아란의 주정은 없다. 아무것도 없다. 희롱을 당해도 맞아도 무표정이다. 아란의 무표정함은 B의 아무것도 없는 감정을 가져다가 박아놓은 듯 차갑기만 하다. 손을 대면 차가워서 놀랄 아란의 체온은 아란의 감정과 감각을 멈춘다.

멈춰진 아란은 문뜩 불행을 느끼고 오빠에게 돈을 더 벌게 해달라고 한다. 사랑하면 닮는다. 서로 사랑하지 않아도 닮는다. 짝사랑은 항상 상대방을 쫓아서 결국 상대와 비슷해진다. 아란은 B를 경멸하듯 보면서도 사랑한다. 진실한 사랑에 경멸과 혐오 따위는 없어야 하는데 아란은 잘 모른다. 아란에게 사랑은 그런 것이다.

아란은 B의 인생에서 들은 말과 행동을 자신의 가치관에 슬며시 꽂았다. B에게 돈은 자신이 지불했으니 반드시 자신이 바라는 대가가 돌아와야 하는 것이다. B는 상대방이 생각하는 화폐가치와 가치관은 무시한 채 자신의 저질스러운 화폐가치만을 무식하게 들이밀며 얼마 하지도 않는 밥을 사주며 생색내고, 자신이 갑이라도 되는 양 짓거리를 해 싸고, 드라이브를 시켜주는 등 상대의 부탁을 들어주면 즉시 관계를 강요했다. 그곳이 야외이더라도, 차 안이더라도 상관없이 범했다. 상대의 감정과 의사를 철저하게 묵살하고 그들의 수치심을 즐겼다. 그렇게 B는 자신의 버러지 같은 행동에 대한 보상을 늘 요구했다. 아란은 B와 서로 사랑한 게 아니라서, 또 진실한 사랑이라고 착각을 할 뿐 진실한 사랑은 절대 아니라서 B를 빼다 박을 정도로 닮지는 않았다. 그저 비슷해졌을 뿐.

아란은 생각한다. 돈이 많아지면, B처럼 원하는 것을 가질 수 있다고.

아란이 원하는 건 무엇일까. 아란이 바라는 건 무엇일까. 아란의 방에서 보이는 작은 별 하나에게 말하는 아란의 소원은 무엇일까. 아란만이 알 수 있는 아란의 바람을 큰 달이 떠오르는 특별한 날 아란은 소리 내 말 한다.

"다 죽게 해주세요."

아란의 소원은 모두가 죽는 것이다. 아란의 소원은 이뤄질까. 아무도 모른다. 아무도 알 수 없다. 알 수 없는 것들이 투성이인 세상에서 아란은 돈 생각에 무섭도록 빠르게 잠식된다. 돈은 과연 아란을 지긋지긋한 집과 학교의 고통에서 구원해줄 수 있을까.

밝은 햇살이 들어오는 날, 아란은 늘 그렇듯 학교에 가고, 아란의 오빠도 학교에 간다. 아란의 엉덩이를 건드리는 오빠 무리 중 한 명. 아란은 날카롭게 쳐다본다. 오빠는 눈을 돌린다. 아란은 한숨만 쉬고는 의자에 앉는다. 의자에 앉은 아란의 허리를 감싸는 또 다른 한 명. 뿌리치는 아란. 허리에서 슬그머니 손을 올려 말랑한 아란의 가슴을 건드리는 한 명. 아란은 공개적인 장소에서 수치심을 느낀다. 아란은 벌떡 일어나 한 명의 뺨을 때린다. 무서워서 몸을 떨다가 아란은 교실 밖으로 뛰쳐나간다. 맞은 뺨이 얼얼한지 뺨을 만지며 한 명은 아란을 끝까지 조롱한다.

"야, 근데 저년 가슴 죽인다. 잠깐 만졌는데도 와..씨."

"내가 말했잖아. 저년 빨통 죽인다고."

"너 저거 먹은 거잖아. 존나 부럽네."

아란의 오빠는 자신의 아빠가 아란을 만지는 것은 막으면서 왜 학교에서는 아란을 수치심에 노출시키는걸까. 성희롱에 이어 성추행. 아란은 이제 학교에서 성폭행까지 당하는 게 아닐까. 이런 아란을 누가 걱정해줄까. 아무도 걱정해주지 않는다.

아란의 오빠는 아란을 이용해서 학교에서 사자처럼 행진하고, 자신을 과시한다. 아란을 강간하고, 몰래 찍고 그것으로 자신을 높이 세운다. 아란은 내려가고 아란의 오빠는 올라간다.

어디까지 내려갈지 모르는 아란은 눈이 새빨개졌지만 눈물이 흐르지 않는다. 아란의 오빠가 집에 오자마자 아란은 울부짖으며 따진다.

"사귀자며. 그러면 편해질 거라면서. 그런데 왜 더 힘들어?"
"아란아, 그래도 집에서 아빠하고는 안 해도 되잖아. 학교에서는 네가 나 좀 봐주라. 네가 그렇게 한 번 힘들면 내가 생활이 편해. 어? 미안해. 대신에 돈 더 줄게. 이것 봐 장난 아니지?"
돈이면 되는 걸까. B와 오빠의 행동이 겹쳐 보인다. '너에게 이만큼에 돈을 투자했으니 나와 무조건 해라. 너에게 이만큼 돈을 주니 참아라.' 아란의 근처에는 정상적인 사람이 왜 없을까. B와 생으로 이어져 있다는 것으로 B의 업보를 갚아야 하는 건 너무도 잔인한 게 아닐까. 아란의 잘못은 없는데 왜 B라는 전생으로 인해 아란은 이토록 힘들어야 하는 걸까. 자신의 인생에서 자신이 없는 걸까. 살 자신도 죽을 자신도 없는 아란은 자기 자신을 지운다. 포기한다.
"어. 돈 좋아. 돈 줘. 좋다. 헤헤."
"그렇지? 돈 좋지? 더 벌 수 있는데 해볼래?"
아란이 돈을 보고 괴상한 소리로 헤헤거리지만 어쨌든, 웃음소리기에 화색을 보이는 오빠는 아란에게 더한 것들을 요구하고 다른 사람들도 집에 들이기 시작한다.

아란은 차라리 학교가 낫다는 생각을 한다. 그래도 학교는 자신을 이렇게 다 벗겨버리고 묶고 때리지 않으니까. 학교에 빠지지 않는다. 학교를 성실히 다니면 자신의 몸을 쓸 일이 없어서 돈을 덜 벌지만 그래도 아란은 괜찮다. 감정과 감각을 멈춰도 되살리는 바퀴벌레들이 자신의 몸에서 기어 다니고 흔적을 남기는 것보다 차라리 덜 버는 게 낫다. 돈을 벌어서 성형도 하고, 집도 나가려고 했지만, 아란은 그 일은 나중으로 미룬다.
미루다 보니, 집에 가는 것도 미루게 되어서 캄캄한 시간의 학교를 처음으로 본다. 아란의 학교는 공부를 안 하는 애들이 압도적으로 많아서 야간자율학습을 하는 학생들이 거의 없다. 아란은 자신을 장난감으로 여기는 것들이 없는 게 좋아서 엎드려 편하게 잠에 들려는데 누군가 아란의 잠을 깨운다.
"저기.. 집에 가. 너 여기에 더 있으면 안 좋을 것 같아."
아란은 어리둥절한 표정을 짓는다. 왜? 라고 물어보고 싶지만 한 학생은 이미 없다. 아란은 이유도 모른 채 빠르게 집에 간다. 멀리 보이는 그 학생이 보인다.
"저기. 저기! 잠깐만!"
서로의 이름도 모르는 아란과 한 학생은 나란히 멈추어 선다.
"너 나 알아? 왜 알지도 못하면서 빨리 가라 마라야?"
속마음은 그게 아닌데 아란은 사람에게 받은 상처가 많은지 까칠한 가시를 세워 말한다.
"몰라. 그런데 네가 좀 힘들 것 같아서."
"내가 왜?"
"나 너랑 같은 반도 아닌데 너 잘 알아."
"아 나 고아라서 아는구나? 너도 내가 불쌍하니?"
"아니, 그게 아니라. 너 강간 당하는 거 나 알아. 불법 촬영 당하는 것도 알아."
"뭐…? 뭐라고?"
아란은 당황해서 말도 똑바로 하지 못한다. 어디서부터

잘못됐는지 건잡을 수 없는 아란의 불온정한 삶은 아란을 완전히 절벽으로 밀쳐버린다. 아란은 발을 돌려 빠르게 걷는다. 아란의 상황을 어떻게 안건지는 모르지만 다 알고 있는 학생은 빠르게 아란을 쫓아간다.

"도와줄게."

"어떻게 도와주게? 너도 나 어떻게 한 번 따먹어보려고 그러는 거야? 그냥 먹어. 대줄게. 얼마 줄 거니? 그까짓게 뭐가 어렵다고."

아란은 애써 그까짓게라며 섹스가 아무렇지 않은 것이라는 듯 말한다. 섹스가 아무렇지 않은 것이 되기를 바란다. 자신의 모든 것을 드러내는 섹스가 모든 사람이 아무렇게나 하는 거기를 바란다.

"아니 그런 게 아니라 진짜 도와주겠다고."

"경찰에 신고하는 게 도와주는 거야? 경찰에 신고하면 나 어디로 가는데? 다시 시설로 가는 거 아니야? 나 거기서 처맞았어. 거기도 다를 바 없어. 적어도 지금은 돈이라도 벌어. 차라리 이게 나."

아란의 말에는 울음이 하나도 섞이지 않았지만 울부짖는 듯 울음이 서려 있다. 학생은 아무런 말도 없다. 그냥 아란을 가만히 바라본다.

"나는 이 한 이야."

뜬금없이 자신의 이름을 말하는 학생의 이름은 한 이다.

"나도 너처럼 시설에서 자랐어. 엄마가 나를 버리고 갔대. 나도 너처럼 맞았어."

뜬금없이 이어지는 한의 간단한 자기소개는 아란이 한을 바라보게 했다.

"어떻게 도와줄 건데?"
"너는 쓰레기는 어떻게 해야 한다고 생각해?"
"버려야지."
"그냥 버리는 게 다 야? 태워서 없애버려야지. 흔적조차도 불태워 버려야 해. 그런 것들은 존재하면 안돼."
"어떻게 없애?"

"죽여야지."

둘 사이에 살인이라는 불편한 단어가 오갔지만 편한 분위기에 아란은 사르르 녹듯이 웃는다. 자신이 빌던 소원이 누군가의 입 밖으로 나왔다는 게 섹스에서 느낄 수 없었던 오르가즘을 아란에게 준다. 흥분한 아란은 들뜬 목소리로 말한다.
"죽이면 감옥 가잖아. 난 그건 무서워."
"괜찮아. 안 들키면 돼."
웃을 때면 얼굴에 주름이 많이 지는 한의 얼굴은 어딘가 모르게 쓸쓸해 보이고 어딘가 모르게 아란의 눈에는 썩 마음에 들지 않는다. 어색하게 웃어서 삐뚤어진 아란의 웃음은 어딘가 모르게 씁쓸해 보이지만 어딘가 모르게 한의 눈에는 썩 마음에 든다.

친구다운 친구가 생겼다고 생각한 아란은 B에게 얘기해주고 싶다.
"자기야!"
"하.."

"어? 왜 그래?"
"몰라서 물어?"
"자기 기분 안 좋구나. 나 기분 좋은 소식이 있어. 이거 듣고 나면 자기도 좋아질 거야! 자기야 오늘 있잖아…"
"닥쳐. 너 입에 들어갔다 나온 게 얼마나 많은데 그 걸레 같은 주둥아리로 감히 나한테 말을 걸어. 냄새 나 죽겠네."
"왜 그래 진짜. 말이 심하잖아."
"뭐가 심해. 너 하는 짓을 봐. 창녀랑 뭐가 달라."
"뭐가? 내가 돈 받고 섹스해서 그래? 근데 너 돈 주고 섹스하잖아. 심지어 너는 돈 안 쓰면 섹스 못 하잖아. 뭐가 달라? 그리고 너 돈 쓰면 섹스해 달라고 때 쓰잖아. 엄연히 말하면 창녀 같은 건 너 아니야? 여자친구나 부인도 네가 돈 썼으니 섹스해달라고 데이트를 무슨 화대 지불한 거 마냥 창녀 취급했잖아. 옷 같지도 않은 거 밤마다 억지로 입혔잖아. 그래놓고는 노출이 조금이라도 입는 옷이나 속이 조금이라도 비치는 옷가지고 지랄 염병을 떨었잖아. 창녀 같다고 욕했잖아. 창녀 같은 행동은 창놈 같은 네가 하고 있는데 이게 뭐야. 마치 창녀가 창녀 아닌 척 하고 사는 것 같잖아. 돈 아니면 섹스도 못하는 네가 더 창놈에 가깝지 않아? 돈은 섹스로 이어지는 네 생각이 더 걸레 같지 않아? 다리 억지로 벌려지는 년이 문제야? 억지로 다리를 벌리게 하는 놈이 문제 아니고?"
아란의 말에 B는 속이 부글부글 끓는지 부들부들 떨며 아란을 분노가 가득 찬 눈으로 노려본다. 모처럼 기분이 좋은 아란은 꿋꿋하게 말을 이어간다.

"나는 이유가 있어. 그거 안 하면 성인 돼서도 여기서 살아야 하는데. 해야지. 해야 하는 거잖아. 나 그리고 어차피 돈 안 받아도 당하는데 돈이라도 받는 게 낫지 않아? 나처럼 하는 게 맞잖아. 내 상황이면 나처럼 되는 게 맞는 거잖아. 그렇잖아."
"창녀 근성이 있구나."
"뭐라고?"
"말귀도 못 알아 처먹니? 너 존나 싼 건 알았는데 창녀인 줄은 몰랐다고. 이 천박한 년아. 창녀야."
"말을 왜 그딴 식으로 해? 내가 좋아서 하는 줄 알아? 나 진짜 하기 싫어. 너 말 따라 존나 싫어. 존나게 싫다고. 그런데 안 하면? 안 하면 맞잖아. 죽기 직전까지 맞잖아. 넌 그렇게까지 안 맞아봐서 모르겠지. 진짜 너무 아파. 손가락도 하나 움직일 정도로 아프다고. 뼈가 비뚤어질 정도로 맞는다고. 진짜 존나 아프다고. 치료도 못 받고, 피는 나고 피가 멈추지 않아서 무섭다고. 그런데 내가 다리 벌리면 안 맞아. 아플 일이 없어. 물론 미친놈 같은 새끼들은 나를 때려. 대신에 돈을 더 줘. 치료비도 줘. 뭐가 나은 건데? 하는 게 나은 거 아니야? 내가 왜 창녀야. 내가 왜. 나는 당하는 거야. 너 그렇게 똑똑한 척 하면서 이런 거 하나 구분 못 해?“

B는 자신이 꿈꾸는 이상과 자신의 현실의 괴리 속 열등감과 자격지심으로 가득 찬 피해망상을 안고 사는 것이라 누군가가 자신이 무시하는 것을 참지 못한다. 특히 자신과 가까워 남이라고 부르기에 모호한 사람의 무시와 자신

의 잣대로 만들어진 틀 안에서 자기보다 아래에 있는 사람의 무시에 치가 떨릴 정도로 분노한다. 그런 B의 분노는 자신이 존중받지 못함을 반증하며, 자신이 원하는 이상향과 멀어지고 있는 삶과 죽음을 입증한다. 결국 B의 저열함은 폭발하여 아란의 목을 잡고 들어 올려 조른다.
"너 같은 게 감히 나를 무시해? 너 미쳤구나? 너를 거두는 게 아니었는데."
아란에게 한 것이라고는 감정을 쏟아붓고 욕하고 명령을 한 것뿐이면서 자신이 아란에게 큰 도움이라도 준 양 거둔다는 말을 하는 B는 미친놈이다. 미친놈은 미친 소리를 계속한다.

미친놈에게 잡혀 컥컥거리는 아란은 자신의 꿈이라는 사실을 떠올린다. 아란과 B가 잊고 있었던 사실, 아란의 꿈은 아란이 주인이다. 아란이 마음대로 꾸밀 수 있다. B가 아란의 꿈에 나와 이야기를 할 수 있었던 것도 아란이 바랬기 때문이고, 아무리 아란의 꿈에 찾아가기 싫어도 B가 아란의 꿈에 나오게 되는 것도 아란이 바랬기 때문이다. 아란의 바램이 유일하게 이루어지는 공간은 바로 아란의 꿈이다.
아란은 B가 영원한 무(無)가 되기를 바라는 마음으로 없애버린다. 불을 질러 B를 잿가루로 만들어버린다. B는 남의 시선은 지독하게 의식하며 착한 척 위선을 떨며 사회에서 인정받기 위해 노력했지만, 그의 저질스러움은 어떤 것으로도 숨겨지지 않았다. 심지어 죽음과 죽음 그 후에서도 숨길 수 없었다. 그는 사나 죽으나 상대를 끊임없이 바꾸고 삿대질로 무례하게 지적하며 트로피처럼 쓰지만 정작 자신은 누군가의 자랑스러운 존재는 죽어서도 되지 못했다. 그가 바라던 모습과 가장 먼 무시 받아 마땅한 존중 하나 없는 모습으로 완전히 소멸하였다. 꿈이지만 생생히 느껴지는 B의 고통은 아란에게도 생생하게 전해져서 기쁨의 비명을 지르며 꿈에서 깨게 했다.

아란이 일어나 가장 먼저 한 일은 한에게 전화한 것이다.

"나와."

"지금?"

"응."

한은 아란의 부름이 당황스러웠지만, 딱히 할 것도 하고 싶은 것도 없었던 터라 부름에 응한다. 아란은 그런 한을 보니 가슴 한쪽이 아려온다. 누군가가 자신의 부름에 이렇게 답 해준 적이 있던가 떠올리지만 없다. 자신의 부름보다는 늘 자기의 말에 응답만을 요구하던 것들만이 떠오르는 아란은 두 눈을 질끈 감았다가 뜬다. 그런 아란을 보는 한의 표정은 묘해 보인다. 동질감을 느끼는 듯해 보이면서도 안쓰러워하는 것 같으면서도 공감하는 표정이면서 절대 동정하지는 않는다. 한은 입술을 한참을 옴짝달싹하다가 아란에게 묻는다.

"무슨 일인데?"

아란은 자신과 키가 비슷해 올려다 보지 않아도 눈높이가 맞는 한을 보며 생각한다. 내가 말을 하면 믿어줄까,

내가 또 미친 거라며 욕하지 않을까, 나를 멍청하게 생각하지 않을까. 아란은 자신을 끊임없이 학대하는 생각을 한다. 한에게 말해볼까 하지만 아란은 하지 않는다. 한은 아란이 말해주기를 바라는 듯 아란의 눈과 입술을 번갈아 보면서 쳐다보지만, 아란의 눈과 입술은 꼼짝도 하지 않는다. 아란의 눈은 시꺼멓게 타들어 가 재만 남은 것처럼 공허하고 입술은 생기가 넘치나 건조하다.

"내가 말하면 믿어줄 거야?"

"응."

한은 늘 그렇듯 그렇게 길게 대답하지 않는다. 한이 길게 대답하지 않는 건 어쩌면 길게 대답을 못 하는 것일 수도 있다. 한은 누군가와 길게 말을 해본 적이 없기에, 누군가의 말을 일방적으로만 들어왔기에 자기 생각을 말로 잘 하지 않게 되었고, 어느새 그냥 짧게만 말하는 과묵한 사람이 되었다.

"나는 꿈을 꿔. 그 꿈에는 내 전생이 나와. 나는 전생에 미친 놈이었어. 여자의 몸만을 탐하고 자신의 저질스러운 욕망을 채우는 그런 악마였어. 여자를 사람이 아니라 성욕을 해결할 섹스 용품으로 보면서 노출이 있는 옷을 보면 창녀 같다고 똥이라도 씹은 표정으로 삿대질을 해대며 지적하는 모순이 가득 한 쓰레기였어. 그러면서 밤에는 지가 매일 떠드는 걸레 수준을 넘어선 옷을 입히는 미친 새끼야. 또 뭐더라. 여자의 소중한 추억이 담긴 사진을 보고 너 이때 살쪘었지? 하며 아주 자동으로 외모 지적부터 해대고, 여자의 엄마 외모 지적까지도 하더라.

그냥 지나가는 모든 여자들을 평가질 해. 지 쌍판대기 생각 안 하고. 진짜 단단히 미친 거지. 지는 지적받을 거 없나? 솔직히 더 많으면 많지 적을 거 같지는 않거든? 똥이 무서워서 피하나 더러워서 피하지. 너무 많아서 입이 다 아플 것 같아서 그냥 참는 거지. 그리고 사실 외모로 이렇다 저렇다 말하면 당연히 안 되는 거잖아. 기본이잖아. 그래서 안 하는 건데 왜 그 새끼는 똑똑한 척은 존나게 해대면서 그것도 모르고 그렇게 매일 씨불여 됐을까. 마치 자기가 뭐라도 된 것처럼 말을 하는 게 아니라 더럽게 배설을 했을까. 말도 안 되는 평가를 해 쌌을까. 나는 왜 그걸 꿈에서 깨고 나서야 알았을까."

아란은 자신의 전생 B와 나눈 이야기들과 시간을 진심으로 후회한다. 생각하기 싫어도 나는 B와의 시간이 수시로 스쳐 지나감에 괴로워하는 표정을 지으면서도 겉으로는 괜찮은 척하려고 노력한다. 아란은 사실 노력하지 않아도 된다. 괴롭다면 온전히 괴로움을 표출해도 된다. 하지만 아란은 그런 사실을 모른다. 아무도 알려주지 않았기에.

"심지어 여자를 물건으로도 봤어. 트로피. 트로피는 항상 날씬해야 했어. 뱃살도 하나도 있으면 안 됐고, 피부에 뭐 하나 나면 안 돼. 또 옷도 편하게 입으면 안 돼. 몸매가 드러나되 노출은 없게. 뭘 바라는 것인지 알고 싶지도 않아. 갠 그냥 태어 났으면 안돼. 그 새끼는 태어날 가치도 없는 새끼야. 어이 없는건 지는 배에 살도 있고 피부에는 여드름이 범벅이고 옷도 무슨 노숙자같이 입고 머리에 비듬도 있다는거야. 대가리도 얼마나 큰지. 비율이 완전.. 어휴.. 상상도 하기 싫다. 어떻게 같이 다녔는지 여자가 보살인가 싶더라. 뭐 한마디로 자기 자신한테만 관대하고 남한테는 박한 불결한 무언가지. 사람이라고 말하기도 아깝다. 그냥 존나 쓰레기야. 나는 근데 그 쓰레기를 사랑했어. 사실 사랑을 모르겠어서 그게 사랑인지도 모르겠는데 사랑이었던 것 같아. 그 사람을 행복하게 해주고 싶으면 사랑이 아닐까 싶어. 그래서 그 사람의 말을 다 들어줬어. 그 사람의 무시도 존중했어. 그 사람의 욕도 새겨들었어. 그러면 안 되는데 그러면 안 되는 거 아는데 그 사람이 탓하던 여자를 죽이고 싶다는 생각을 했어. 그리고 지금도 그 여자를 죽이고 싶어. 그 여자 때문에 내 전생이 망가졌고, 그로 인해 내 현생이 망가진 거 같아서."

두서없이 막 뱉는 아란의 말은 현실적이지도 않고, 이성적이지도 않고, 오직 감정만이 앞서서 이해하기 힘든데 한은 아무런 질문도 하지 않은 채 묵묵히 들어준다. 아란은 한에게 묻는다.

"어때. 내 이야기? 너도 내가 미친년 같니?"
"딱히."

아란은 한의 대답이 마음에 들어 보인다. 아란은 사람다운 사람에게 처음으로 호감을 느껴본다. 아란이 느낀 호감은 절대 이성 간의 호감이 아닌, 인간 대 인간으로서의 호감이다. 아란은 자신이 꿈에서 자신의 전생을 죽인 이야기와 죽이게 된 이유, 집에서 당한 모든 일을 말한다. 쏟아내듯 말하지만 울지 않는 아란의 모습은 의연해 보이기까지 않다. 의젓해 보이기까지 한다. 그런 아란이 한은 처음으로 불쌍하다는 생각을 했다. 마치 자기 같아서.

아란은 자신의 말에 모든 사람과 달리 토를 달거나 지적하지 않는 한이 편했는지 자신을 도와달라고 한다.

"너 그때 나 도와준다고 했었지? 지금 나 좀 도와주라. 같이 불 질러 버리자. 살을 다 태워버리자. 아니 그 전에 칼로 다 피부를 도려내 버리자. 그것들의 성기가 내 안을 후벼팠던 것처럼 불길이 그것들의 전부를 후벼팔 수 있도록 죽여버리자."

"그래."

둘은 그렇게 완전범죄를 계획한다.

삐친 열아홉

누군가라도 일생에 한 번쯤은 천운이 따른다. 아란의 천운은 지금이다. 아란의 지옥은 B라는 전생부터 시작된 것인지 아니면 태어날 때부터 시작된 것인지 아니면 지옥이 아닌지 알 수 없지만, 아란이 지옥이라고 느꼈던 아란이 살던 집이 활활 타오른다. 머리카락 한 올, 가죽 한 점도 남기지 않으려고 불이 애를 쓰는 듯 일 초, 일 초가 지날수록 가해자에게는 따듯하고 피해자에게는 뜨겁던 불길이 아란의 집에 있는 모든 것을 죽음으로 몰아넣는다. 불에 타서 고통의 신음을 내며 죽음을 맞이한 아란의 아빠라는 것과 오빠라는 것은 시체도 남지 않았다. 불운만이 연속된다고 굳게 믿던 아란의 인생에서 이것은 엄청난 천운이었다. 완전범죄를 계획한 한과 아란은 말 그대로 완전범죄에 성공했다.

아란을 위로하는 소방대원들의 목소리는 아란이 늘 들어오던 목소리와 다르게 뜨겁지 않아서 살갗이 타오르지 않고 따듯해서 기대고 싶다. 아란은 전혀 망가지지 않았지만, 자신이 망가졌다고 생각하기에 망가진 자신을 차마 영웅들의 따스함에 기대지 못한다. 아란은 그저 가만히 고개를 푹 숙인 채 자신을 이렇게 망가뜨린 것들의 죽음을 진심으로 그 누구보다 축하하며 기쁨의 눈물을 흘리며 불길에 타들어 없어진 자신의 지옥을 애도한다.

불길에 타들어 없어진 지옥처럼 아란의 지옥 같은 기억도 모조리 없어지면 좋으련만, 기억만은 사라지지 않는다. 아란을 괴롭힌 것들은 죽었지만 아란의 기억은 아란이 살아있기에 함께 살아있어 이제는 아란이 행복하기를 바라지만, 그럴 수 없을 것이다. 기억은 쉽게 지워지지 않으니까. 마음의 상처는 몸과 달리 없어지는지 알 수 없으니까. 몸의 상처처럼 바르는 약도 없으니까. 문뜩문뜩 비슷한 소리와 형태만 들리고 보여도 아란은 괴로울 것이다.

아란은 한에게 고맙다며 너밖에 없다고 말하면서 지쳐 힘이 없는 몸이 폭삭 주저앉을 것만 같아서 어쩔 수 없이 살며시 기댄다. 자신에게 기대어 있는 아란을 보고 한은 인간보다는 이성적인 호감을 더욱 느끼며, 처음 한이 아란에게 말을 걸었을 때처럼 성적인 끌림을 강하게 느낀다. 아란이 한에게 말한 고마움과 너밖에 없다는 것은 자신이 죽이고 싶은 것들을 죽일 방법을 알려준 게 고맙다는 것이며, 자신이 겪은 정신 나간 일을 제대로 아는 사람이 너밖에 없다는 것일 뿐 그 이상도 이하도 아니다. 한은 그 이상으로 받아들인다. 한은 자신이 아란에게 무척이나 특별한 사람이 되었다는 착각을 한다. 한의 착각은 소심하지만, 신경이 쓰일 정도로 티가 나서 아란은 자신의 어깨에 손을 올린 한의 손이 불편하다. 아란은 불편함이 커져 불결해지기 전에 한과 거리를 둔다. 한은 그런 걸 아는지 모르는지 자신이 보고 싶은 대로만 아란을 보며 아란의 옆에 딱 붙어 서 있는다. 아란은 속으로 깊은 한숨을 쉬며 한에게서도 벗어나고 싶다고 생각한다.

아란은 한에게서 벗어나고 싶지만, 자신의 모든 이야기를 들어준 사람이 한이 처음이라는 사실이 너무 크게 다가와 단번에 벗어나지 못할 것 같다고 생각한다. 한은 그런 아란을 자신이 세상에서 가장 잘 안다고 건방진 생각을 한다. 아란에게도 느껴지는 한의 오만함은 아란이 생각하기에 소름이 끼친다. 자신을 진정으로 잘 안다며 지금 자신이 느끼는 불편함은 왜 알지 못하는지 아란은 한이 이해가 가지 않는다.

아란은 우선 장례를 치르고 아빠라는 것과 오빠라는 것이 남긴 돈으로 어영부영 삶을 애매하게 이어간다. 돈을 제대로 써본 적이 없는 아란이라서 충분히 넉넉한 돈임에도 불구하고 어떻게 해야 할지 모른다. 한은 알려주겠다고 말하지만, 아란은 한의 호의가 이성적인 감정이 바탕으로 된 호감이라는 게 느껴져 부담스럽기에 거절한다. 한은 자신이 이렇게까지 도와줬는데 선을 그으려는 아란의 모습에 속이 상한다. 속상함에 잔뜩 찌그러진 얼굴은 삐뚤어진 아란의 눈에 못생긴 얼굴로 비춰온다. 한의 얼굴은 객관적으로도 썩 잘생긴 얼굴은 아니다. 기감 없이 말하자면 작은 키에 작은 눈, 커다란 코와 두꺼운 입술, 팔과 다리를 넘어 손까지 덮은 수북한 털들. 못생김과 가까운 얼굴이다. 그런 얼굴을 잔뜩 찌그러뜨리니 아란의 눈에는 한이 고마우면서도 꼴 보기 싫게 비춰온다. 하지만 아란은 한에게서 느껴지는 못생김과 부담스러움보다는 고마움이 크기에 그런 게 아니라며 한을 겨우겨우 달래고 지친 걸음으로 오직 혼자 있는 공간으로 들어간다.

혼자 있어도 혼자 있는 거 같지 않은 아란. 시도 때도 없이 울리는 한의 연락이 숨이 막힌다. 아란은 한에게 진심으로 고마우면서도 한의 마음이 부담스럽기 짝이 없어서 한과의 연도 끊고 아무도 자신을 모르기를 바란다. 아란은 어떻게 하면 아무도 자신을 모를지 생각해보며 더는 B가 나오지 않는 잠다운 잠 속에서 모처럼 아무런 꿈을 꾸지 않고 푹 잠에 든다.

학교도 가지 않고 집에만 있는 아란. 아란의 일상에는 오직 아란 뿐이며 아란에게 뭐라고 하는 사람도 아무도 없고 아란을 찾는 사람도 아무도 없다. 아니다. 한 명이 있다. 그 한 명의 찾음으로 아란의 하루는 시작된다. 한은 시도 때도 없이 아란에게 연락을 한다. 아란은 한이 원래 이렇게 말이 많은 사람이었나 의아하다. 수다스러운 한의 모습과 말들은 어색하다. 어색함은 불편함으로 크게 번진다. 불편한 한이지만, 아란에게 한은 자신의 이야기를 아는 유일한 사람이기에, 자신과 함께 살인이라는 비밀을 가지고 있는 유일한 사람이기에 한을 받아드린다. 그 받아드림은 아란에 대한 한의 숨겨진 욕망과 집착을 더 끈질기게 만든다. 아란의 탓은 절대 아니지만, 아란은 한의 그런 행동이 자신이 헤프게 행동해서 그런 건가 하며 자책을 한다. 아란은 그저 자신에게 호의가 있는 사람에게 친절했을 뿐이었는데 한의 부푼 해석은 아란과 사귈 수 있다는 꿈을 꾸게 한다. 심지어는 결혼을 하여 평생의 동반자가 될 수 있다는 당장 터뜨려 버리고 싶은 부푼 꿈까지 꾸게 한다.

아란은 한의 부푼 꿈을 칼을 세워 찔러 터뜨려 버리고 싶지만, 아란에게 한은 유일한 사람임은 맞아서 그렇게 하지 못한다. 이 부분은 한에게 있어 아란과 자신이 운명처럼 너무나도 잘 맞는 말도 안 되게 잘 맞는 이렇게 잘 맞을 사람이 없을 하늘이 정해준 사랑으로 다가온다. 이런 한의 반응은 아란에게 있어 한의 이기심으로 다가온다. 한은 아란이 자신을 어떻게 생각하는지 한 번도 물어보지 않은 채 스스로 착각하고 자신이 아란에게 호감이 있고 아란을 좋아하듯이 그럴 것이라고 확신한다. 자신과 아란의 미래는 함께할 것이라고 기대한다. 그 생각과 기대는 고스란히 아란에게도 느껴진다. 아란은 진심으로 한이 소름 끼치고 역겹기까지 하다.

한이 다가오면 다가올수록 아란은 다시 숨이 막혀온다. 아란은 한과 거리를 두고 싶어 다른 사람들을 만나고 싶다는 생각을 한다. 자신이 다른 사람과 어울리면 한이 자신에게서 멀어질 수도 있다는 기대를 안은 채 아란은 아주 오랜만에 집 밖으로 나간다.

아란은 죽어 마땅한 것들을 죽였음에도 불구하고 양심의

크나큰 죄책감을 느껴 휘청휘청하며 똑바로 걷지 못한다. 철퍼덕 주저앉는다. 아란은 몸을 바들바들 떤다. 아란은 다시 자신이 있던 곳으로 돌아가려고 하지만 몸이 말을 듣지 않는다. 건너편에 익숙한 모습이 보인다. 한이다. 한이 아란에게 달려온다. 아란은 한이 이곳에 어떻게 온 건지 알 수 없어 어리둥절하면서도 한에게 부축을 받는다. 아란이 알려주지 않아도 한은 이미 알고 있는 듯 능숙하게 아란이 잠시 묵고 있는 집이라고 하기에는 좁고 햇빛 한 줌 들어오지 않는 곳으로 함께 들어간다.

한은 둘러볼 것도 없는 아란의 집을 보고 한숨을 쉰다. 아란은 혼자 있고 싶으니 한에게 고맙지만 돌아가 달라고 한다. 한은 이전에도 그랬듯이 얼굴을 잔뜩 찌그러뜨려 자신의 서운한 감정을 표출한다. 아란은 그런 한의 얼굴이 역시 부담스럽고 그런 그의 태도가 싫다. 앉아있을 힘도, 서 있을 힘도 없어 보이는 아란을 한은 침대에 눕혀준다. 아란은 고맙다는 건조한 말 만하고 벽을 바라본 채 등을 돌리고 눕는다. 한은 아란의 옆에 꼭 붙어 침대에 앉아 있다. 한의 체온이 닿는 기분이 몹시 불쾌한 아란은 한에게 안가냐고 묻는다. 한은 자신이 가기를 원하냐며 되묻는다. 아란은 조용히 쉬고 싶다고 말하며 끈질긴 한을 내보낸다. 한은 한숨을 크게 쉬며 나간다.

아란은 한이 자신의 이야기를 들어주고 자신을 도와줘서 진심으로 고마웠는데 어느 순간부터 한의 얼굴도 보기 싫을 정도로 싫다. 불편하다. 눈치 없이 다가오는 한을 추

접스럽다고까지 느낀다. 아란은 숨을 몰아쉬며 다시 잠을 청한다. 역시 아란은 불이 활활 타오르던 그 날처럼 아무런 꿈도 꾸지 않았다.

저녁과 밤 사이에 겨우 일어난 아란은 부스스한 머리를 손가락으로 대충 빗으며 비뚤어져 불편한 턱을 딱딱 부딪치며 거울을 본다. 아란은 세수는 대충하고 화장은 공들여 한 채 구두를 신고 또각또각 밖으로 나간다. 아란은 열 여덟 살, 곧 열아홉 살, 성인과 가까운 나이지만 중학교를 졸업한 신분으로 어디에 가서 일하기 어렵다. 일을 구하기 쉽지 않다. 아란은 어떻게 하면 좋을지 손톱을 잘근잘근 씹으며 불규칙한 또각거리는 구두소리를 내며 아무렇게나 걷는다. 아무렇게나 느리지만 불안하게 걷다 보니 해는 자취를 감춰 완전한 밤이 되었다.

혼란스럽게 사방으로 흩어지는 네온사인 불빛은 밤하늘의 별보다도 더 밝아서 하늘의 별을 보이지 않게 하고, 땅의 순수함을 화려함으로 치장하여 감추다 못 해 없애버린다. 그런 땅을 아란은 좁은 구두의 굽으로 걷고 있다. 아란을 보고 손짓하는 남자들의 초점 없는 눈 속 무언가를 확실히 탐하고 있는 눈알을 파버리고 싶은 아란은 자신의 잔인한 생각이 밖으로 보일까 봐 아빠라는 것과 오빠라는 것에게 그랬듯이 애써 미소를 지어 보인다. 그 미소에 아란의 팔을 확하고 잡아끄는 흘긋봐도 휘황찬란한 여자. 여자의 손힘이 센 것인지 아란의 힘이 약한 것인지 알 수 없지만, 아란은 그 여자에게 붙잡혔다.

"애, 너 갈 데 없지? 딱 보니까 그렇네. 내 눈엔 다 보여. 너 고등학생이지? 고등학생인 애들은 화장해도 학생 같더라. 그 특유에 어리숙함이 있다니까?"

아란은 갑작스러운 여자의 말에 당황해서 아무런 말도 하지 못한 채 머리로 삐뚤어진 턱을 가린 채 땅만 본다.

"왜, 뭐 문제 있니? 나 봐봐."

아란의 얼굴을 들어 올리는 여자. 아란은 자신을 향하는 눈은 모조리 무서워서 눈을 질끈 감는다.

"아~ 너 턱이 마음에 안 드는구나? 이거 별로 문제 안 돼. 내가 도와줄게."

"어떻게 도와줘요? 저 돈 없어요."

"괜찮아. 내가 내줄게. 너 살 곳은 있니?"

"있긴 한데…."

"너 사는 곳 별로면 내가 집도 알아봐 줄게. 대신 나랑 같이 일하자. 그거면 돼. 너는 충분히 가능성 있어. 이쁘다니까?"

이쁘다는 말 한마디에 배시시 미소가 지어지는 아란. 아란은 자신에게 어떤 가능성이 있는지 알고 싶기도 하고, 한이 알고 있는 자신의 집에서 벗어나고 싶은 마음에 여자에게 마음을 활짝 열어버린다. 활짝 열린 아란의 마음에 도도한 걸음으로 들어가는 여자는 아란의 집을 바로 이사시켜준다.

이사한 아란의 집은 이전의 집과 달리 둘러볼 곳이 있고 햇빛도 들어온다. 무엇보다 어떻게 알았는지 모르지만, 꽤나 능숙하게 아란의 집을 데려다주던 한이 자신이 살던 곳을 모른다는 것에 아란은 부담을 놓고 안심한다. 아란은 만족스러운 미소를 짓는다. 미소에서 웃음으로 번지는 아란의 밝을 수 있었던 얼굴에 한의 연락이 묻는다. 아란은 한순간에 다시 웃음을 거둔다.

"너 왜 연락 안 받아? 너 걱정돼서 학교도 빠지고 종일 너한테 연락하고 찾아다녔는데... 나한테 너무 한 거 아니야? 너 집에도 없더라? 심지어 집 뺐다고 하던데. 어떻게 나한테 말도 없이 그럴 수 있어?"

아란은 무섭고 어이가 없다. 자신과 한은 가족도 아니고 연인 사이도 아니며 그저 친구일 뿐이다. 살인을 공모하고 살인을 공유한 특별한 친구 사이기도 하지만 아란에게 한은 점점 더 갈수록 고맙지만, 어딘가 모르게 께름칙한 사람이다. 한에게 아란은 자신의 영혼의 단짝이자 사랑하는 사람이자 영원히 함께할 운명이 점찍어준 너무나도 잘 맞는 서로가 서로에게 유일한 사람이다.

한의 집착이 넘치는 사랑은 아란의 외모로부터 시작이 되었다. 한은 학교에서 존재감 없는 학생이었고, 아란은 존재감 있는 학생이었다. 한은 존재감 있는 사람을 선망해 왔지만, 자신은 닿을 수 없었다. 한이 아무리 발악을 해도 그들처럼 될 수 없었다. 그들처럼 될 수 없는 이유는 고작 타고난 얼굴 때문이다. 아란은 타고난 몸 때문에 희롱을 당하며 자신의 존재를 감추고 싶어 하지만 한은 반대로 타고난 몸과 얼굴 때문에 갇혀진 자신의 존재를 드러내고 싶어 한다. 존재하면 안 되지만 존재하는 외모라는 계급에서 한은 하 중에서도 중, 어쩌면 하 중에서도 하고, 아란은 중 중에서도 상이다. 아란의 턱이 삐뚤어지지 않았더라면 아란은 상 중에서도 하였을 것이다. 한은 자신이 잘생기지는 않았지만 못생기지는 않았다고 생각한다. 하지만 학교와 사회, 사람들이 바라보는 한은 못생겼다. 절대 평균에도 미치지 못하는 형편없는 외모다. 한은 자신의 형편이 없는 외모를 인지하지 못하고 자신이 넘볼 수 없는 높은 계급의 외모를 가진 중상 이상의 사람과 가까워지고 싶어했다.

외모에 계급이 있다는 게 우습지마는 확실히 존재하며 부정할 수 없을 것이다. 섣불리 말했다가 욕먹기 좋은 소재이지만, 누구나 가지고 있는 마음속에 자신이 허용할 수 있는 이성의 외모에 대한 진입장벽은 분명 있다. 또한, 시력이 존재하는 한 인상이 처음 시작되는 첫인상처럼 외모는 몹시 중요한 요소이다. 한이 본 아란의 첫인상은 예뻤다. 예쁜 얼굴과 달리 불행을 안고 사는 듯 웃음기 하나 없는 아란의 표정을 보고 자신이 지켜주고 싶다고 생각했다. 창백한 아란의 피부 안에 자리한 두 개의 흔들리는 눈동자에 한은 자신이 아란을 보호할 수 있는 멋진 남자가 될 수 있다고 어설프게 확신했고, 지금은 확실하게 확신하고 있다.

한은 자기도 모르게 복도에서 한 번 아란에게 인사를 한 적이 있다. 아란은 턱을 숨기려고 고개를 숙였을 뿐인데 한은 자신의 인사를 받아준 것으로 오해했다. 아란은 이 사실을 기억조차 하지 못하지만, 한은 또렷하게 기억하고 자신이 만든 회원 수가 자기 한 명뿐인 온라인 카페에 기록까지 해 놓았다. 한은 그 후 아란은 몰래 조사하기 시작했다. 아란을 조사하는 건 생각보다 쉬웠다. 아란을 따라다니는 소문의 끝에는 항상 아란의 오빠라는 것이 있었고, 그것을 알아챈 한은 아란의 오빠라는 것에게 의도적으로 접근해 그것이 좋아하는 명품을 선물하며 환심을 샀다. 아란의 오빠는 명품을 하나씩 받을 때마다 아란에 관해 얘기했고 한은 아란의 모든 이야기를 알게 되었다. 한이 한 행동은 스토킹에 가깝지만, 한은 자신이 스토킹이라는 범죄를 저지른 것이 아니라 아란을 구해준 영웅이라고 생각한다. 그래서 그렇게 아란의 앞에서 당당하며 자신만이 아란을 다 알고 있다고 당당하게 자신하는 것이다.

아란은 이런 사실을 알지 못한다. 아란은 그저 갈수록 선명하게 다가오는 한이라는 사람의 존재에 질식해 죽을 것만 같다. 또 한이 어떻게든 자신이 사는 곳을 알아 찾아올 것 같다는 생각에 집안 한구석에서 몸을 떨고 있다. 아란은 어떻게 해야 좋을까 생각하다가 한이 모르는 이곳을 구해준 여자에게 전화한다.

"여보세요?"

"어~ 무슨 일 있어? 왜 그래~ 다 말해봐."

맨정신인 듯 아닌 듯 적당히 혀가 꼬였지만, 여전히 애교스러운 여자의 목소리는 아란을 안심시킨다. 아란은 또 쉽게 마음의 문을 열고 자신과 한의 이야기를 한다. 실인은 빼고.

"그랬구나~ 걱정하지 마~ 내가 도와줄게. 너 그 턱 수

술 날짜는 내가 잡았고 우리 다음 주 화요일에 볼까? 그때 더 얘기하자. 지금은 내가 좀 바쁘네?"

아란의 얘기를 듣는 둥 마는 둥 하지만 대답은 착실하게 하는 여자와 통화를 하다 보니 아란은 괜히 말했다는 생각이 들었고 자신의 모든 말을 경청해주는 한이 그리웠다.

"네. 감사합니다."

짧은 대답을 한 후 여자의 성의 없는 대답 속에서 신기하게도 안정을 찾은 아란은 음식을 배달시켜 먹고 잠에 든다.

눈을 뜨나 감으나 한의 연락은 계속해서 온다. 아란은 늘 그렇듯 할 게 없어서 여자와 만날 날만 기다리며 집에만 있다. 집에서 아무것도 하지 않고 아무것도 먹지 않는다. 멍하니 집을 둘러볼 뿐이다. 아란의 시선에 하얀 커튼 사이로 들어오는 햇볕이 느껴진다. 별을 보니, 별에 빌었던 소원이 떠오른다. 자신의 소원을 들어준 한이 생각난다. 아란은 오직 한 만이 자신의 이야기를 다 알고, 한 만큼 자신의 이야기를 잘 들어주고 공감해주는 사람은 없다고 생각해서일까 한의 연락을 왜인지 무시하지 못한다. 한에게 전화한다. 한은 울먹거리며 말한다. 눈물을 무기로 쓰는 한의 지질한 모습에 아란은 다시 질려버렸다. 한의 울먹이는 소리와 자신만큼 너를 잘 아는 사람이 없다는 소리는 지겹고 지친다. 한의 못생긴 얼굴과 멋스러움이 전혀 없는 목소리는 아란을 찡그리게 만든다. 아란은 자신의 행동을 사무치게 후회하면서도 사무치게 외로운 아란은 한에게 자의인 듯 타의인 듯 기댄다.

아란의 의존을 얻은 한의 목소리에서 기쁨이 느껴지고 아란은 전혀 기쁘지 않다. 아란은 한의 웃는 얼굴도 찡그린 얼굴도 싹 다 싫다. 특히 자신과 있을 때면 자신에게 몸을 가까이 들이미는 한의 몸과 자신을 빤히 바라보다가 눈이 마주치면 피하는 작은 눈알 안에 있는 검은 눈동자가 혐오스럽다.

아란은 분명 B라는 전생을 이야기하면서 자신의 이상형을 말했었다. 아란의 이상형은 우선 키가 커야 하고 넓은 어깨를 가지고 있어야 한다. 한은 안타깝게도 뼈부터 아란의 이상형과 거리가 멀다. 꼭 이상형이 아니어도 이성적으로 느껴질 수 있지만 어느 정도의 기준에는 닿아야 하기에 절대 닿지 못하는 한은 아란에게 이성으로 보일 수 없다. 한은 자신의 외모로 인해 자신을 이성으로 봐주지 않는 아란에게 불만이 있지만, 한은 그럴 자격이 없다. 한이 아란에게 호감을 느끼고 좋아하게 되고 사랑을 꿈꾸게 된 건 아란의 외모가 한의 마음에 들었다는 전제가 있는 것이기에 한은 아란에게 불만을 가지면 안 된다. 하지만 뻔뻔하리만큼 당당하게 갖는다. 그것도 아주 많이. 염치가 없을 정도로 아주 많이 갖는다. 한은 자신은 그래도 된다고 생각한다.

한은 아란의 기준점에 닿기 위해 운동도 하고 눈썹도 다듬고 피부과도 다녀보지만, 아란의 눈에는 그냥 일방적으로 자신을 좋아하는 부담스러운 친구일 뿐이다. 부담스럽지만 하나밖에 없는 친구고 하나밖에 없는 아란과 유일하게 말하는 사람이다.

정상적인 사람과의 관계를 맺어보지 못한 아란은 답답한 관계만을 맺는다. 아란은 관계 속에서 늘 무시당해왔기에 조그마한 존중에도 분에 넘치게 고마워한다. 그 점을 한은 영리하게 이용한다. 여자를 만나기까지 5일 정도의 시간이 남은 아란을 기가 막히게 꾀어내 내내 자신과 놀게 한다. 놀게 한 건지 아란이 놀라고 나온 건지 알 수 없지만, 아란이 한에게 끌려다니고 있다는 건 확실한 사실이다. 아란은 한과 놀면 내내 불편하고 부담스럽고 아주 가끔만 즐겁다. 한은 아란과 놀면 내내 즐겁기만 하다. 아란이 불편감과 부담을 느끼는지 전혀 모른다. 그런 한의 행동과 생각은 아란에게 폭력적일 만큼 거대한 이기심으로 다가온다. 한은 아란이 자신이 부담스럽다고 말한 적이 있어 자신의 마음을 숨기려고 한다고는 하지만 숨길 마음이 없어 보인다. 아란이 그 여자와 연락하면서 자신에게 소홀해졌다고 안 그래도 두꺼운 입술을 툭 하고 내밀어 더 두껍게 보이게 하고 뚱한 소리를 낸다. 심지어는 따진다. 아란은 한이 도대체 뭔데 자신이 누구와 연락을 하는지에 대해 질투를 하는지 늘 그렇듯 기분이 불쾌하고 그런 한의 말과 목소리와 행동과 모습 싹 다 불결하다.

한은 자신의 감정만 보며, 아란과의 가능성도 자신 혼자서만 보아놓고는 이상한 자신감에 차서 하루하루가 지날수록 아란에게 적극적여진다. 가까워지는 한의 냄새와 한의 좁은 어깨, 작은 키, 이상한 목양말, 한의 털, 한의 눈,

한의 모든 것들이 토악질이 나는 아란이다. 한과 다니는 동안 마주치는 사람들의 시선들이 창피하다. 자신이 한과 같은 사람과 같이 다니며 여자와 남자가 함께 다닌다는 이유로 연인으로 오해받는 시선들에 진심으로 숨고 싶다. 창피함에 고개를 숙이고 거리를 두고 걸으려는 아란과는 다르게 한은 어떻게든 아란과 붙어서 걷고 싶은지 자꾸 아란 쪽으로 붙어 걷는다. 한은 아란과 다니는 것을 자랑스러워하다. 아란은 그런 한이 끊임없이 창피하고 끊임없이 더럽고 징그럽게 느껴지지만, 그런데도 아란은 한을 대놓고 거부하지 못한다. 한이 불쌍한 표정을 지을 때면 누구에게도 선택받지 못하고 버림받은 자신의 처지와 겹쳐 보이고, 무엇보다 한 만큼 자신의 이야기를 잘 들어주고 자신에게 맞춰주는 사람은 없다고 자위하며 한을 밀쳐내지 못한다.

한은 그런 아란을 보며 자신도 아란처럼 외모가 평균 이상인 중상급의 예쁜 여자와 사귈 수 있다고 확신하여 기정사실로 하고 으스댄다. 하지만 아란은 아무리 노력해도 한이 이성으로 보이지 않는다. 아란은 5일 내내 한을 이성으로 보려고 노력했고 나름 매일 한에게 너는 그냥 친구일 뿐이야 은은하게 행동과 말로 전했다. 한은 5일 내내 아란이 바라는 바와 정반대인 아란을 이성으로만 봐왔다. 아란은 간절하고도 절실히 한이 자신을 포기해주기를 바란다.

아빠라는 것과 오빠라는 것, B라는 것이라는 지옥에서 벗어난 아란은 한이라는 지옥인 듯 아닌 듯한 것에게 시달리며 5일을 견뎌냈다. 한에게 5일은 꿈 같은 시간이었고, 아란에게 5일은 끔찍하지만 견뎌내야 했던 시간이었다.

5일을 견뎌낸 아란은 여자를 만난다. 여자는 아란을 병원에 데려간다. 마취약이 아란의 몸에 퍼져나가고 아란은 이대로 깨어나지 않기를 바란다.

몽롱한 기운으로 눈을 겨우 뜬 아란은 한숨을 쉰다. 왜 또 눈이 떠진 걸까 자신의 건강한 육체를 탓한다. 아란의 정신은 육체의 절반만큼이라도 건강할까. 수술을 마친 후 아란이 가장 먼저 한 생각은 '아, 왜 눈이 떠져서 또 살아야 하지.'다. 아란이 자신의 외면에 신경 쓰는 만큼 자신의 내면을 돌보았으면 아란은 이렇게 많은 상처를 받지 않았을 수도 있다. 자신이 아란과 가장 가까운 사이고, 아란을 가장 잘 안다고 자신하는 한이 아란의 외면보다 내면을 더 위했더라면 어쩌면 아란의 마음을 움직였을 수도 있다. 아란의 외면을 이용해 돈을 벌려고 하는 포주가 아란의 내면 속 상처를 보고 성형수술 비용을 빌려주는 게 아니라 심리상담비용을 내주었다면 아란은 눈을 뜨고 싶었을 수도 있다. 인생에 만약이라는거는 없는 거지만 만약은 후회와 미련이 존재하는 한 계속 존재하는 꿈속 이야기 같이 이루어지지 않는 지난 시간의 웅성거림일 뿐이다.

아란은 눈이 떠졌기에 어쩔 수 없이 또다시 삶을 견디기로 한다. 아란은 거울을 찾는다. 자신의 성형수술이 제대로 되었는지 알고 싶다. 아란은 자신의 외모가 더 나아졌기를 예뻐졌기를 바란다. 붓기에 퉁퉁 부은 얼굴은 영 보기 좋지 않지만, 아란은 거울을 비스듬히 들지 않아도 거울에 들어오는 자신의 얼굴이 꽤나 만족스러운 듯 힘겨운 숨소리를 섞어 웃어 보인다. 그런 모습에 포주는 만족스러운 듯 아란의 머리를 소중한 듯 쓰다듬는다. 아란은 포주가 자신을 아끼는 것인지 아끼지 않는 것인지 알 수 없지만, 한이 모르는 자신의 집을 마련해주고 지속적인 폭력의 흔적인 자신의 턱도 수술시켜주어 고맙기만 하다. 다만, 자신의 이야기를 조금만 더 귀 기울여 들어주면 좋겠다는 바람은 가지고 있다. 아란은 자신의 바람을 늘 아무렇지 않게 숨겨왔기에 숨겨본다.

사람들의 예민한 기색이 잘 읽히는 포주는 아란이 자신의 말을 경청해주고 공감해주기를 바라는 것을 알고 있지만, 자신이 아란에게 정을 주는 순간 자신은 아란을 이용해 돈을 벌 수 없다는 것을 알기에 정을 주지 않기 위해 노력한다. 하지만 아란은 아란의 이름대로 '아름답게 자란' 여자이기에 포주의 눈에도 아란은 어딘가 안쓰럽지만 지켜주고 싶은 소중한 소녀로 보인다. 그런 소녀를 이용하는 스스로가 부끄러워 치가 떨릴 지경이면서도 포주는 아란을 이용한다. 아란은 자신이 처음부터 포주에게 이용되고 있었음을 모르고 있지만, 언젠가는 분명 알게 될 것이다. 언젠가 알게 되었을 때 아란과 마주할 충격과 배신감이 적기를 바라는 것인지 포주는 아란을 보살펴 주면서도 일정 거리를 유지한다. 아란은 그 거리감에 안정감과 편안함을 느낀다. 한과는 다르게 무턱대고 자신에게 들이대듯 밀치듯 다가오는 게 아니라 어느 정도의 거리를 두고 바라봐 주는 듯해서 포주와 가까워지고 싶어한다. 포주는 그런 아란의 여리고 어린 마음을 느끼지만 느끼지 않으려고 애써 외면한다. 아란에게 돈이 필요하듯 포주에게도 돈이 필요하고 아란은 돈을 벌어다 줄 황금알을 낳는 거위 같은 것이기에 포주는 아란에게 절대 곁을 내어주지 않는다. 곁을 내어주지 않다 보니 아란을 보며 느낀 안타까움과 아란의 삶에 대한 측은한 마음이 서서히 가라앉는다. 처음에는 술로 잊으려고 했지만, 서서히 술이 없어도 잊을 수 있게 되어간다.

수술 후 시간이 흐를수록 쌓이는 한의 연락과 시간이 흐를수록 아름다워지는 아란. 아란은 거울을 보며 흡족해한다. 자신의 얼굴이 상등급인 것 같아서 기뻐한다. 아란은 한과 달리 자신의 외모 등급을 잘 알고 있다.

"나도 이제 상이야."

혼잣말하는 아란의 얼굴 한 부분에 그늘이 비춰온다. 아란은 생각한다. '이제는 얼굴이 비뚤어지지도 않았는데 왜 나는 겨우겨우 힘겹게 상인걸까. 거뜬하게 상일 수는 없을까. 상중에서도 누구도 넘볼 수 없는 상중이나, 상상이 되고 싶은데 왜 나는 겨우 상에 턱걸이한 상하일까.' 아란에게 외모란 무엇이며 한에게 외모란 무엇이며 우리에게 외모란 무엇일까. 외모가 무엇이길래 자연스레 다른 사람의 얼굴과 몸을 보고 사람을 평가하고 판단하게 될까. 왜 자기관리의 척도는 날씬한 몸이 되고, 용모단정은 얼굴이 되는 걸까. 왜 자신의 얼굴과 타인의 얼굴을 보며 불만족스러워하고 지적하고, 만족하고 평가하는 걸까. 도대체 얼굴이 뭘까. 아란에게 얼굴은 전부인 걸까. 아란은 거울을 계속 들여다본다. 아란의 일상에는 아란의 얼굴밖에 존재하지 않는다. 아란이 볼 수 있는 하늘과 땅과 물과 새소리와 거리의 건물과 나무들, 꽃잎들은 아란의 눈에 스치듯이 라도 담기지 않는다. 이 와중에 아란의 핸드폰은 한으로 인해 계속해서 울린다. 아란은 한을 차단해버릴까도 생각하지만, 한이 아니면 자신의 모든 이야기를 아는 사람이 없기에, 그렇게 되면 자신의 모든 시간이 날아가는 것 같기에 한을 쳐내지 못한다. 아란은 자신이 겪은 시간이 없었으면 하면서도 아무도 자신의 고통과 괴로움에 공감을 해주지 않는 것도 싫어서 한이라는 흔적을 남긴다.

한의 연락을 받는다. 아직 턱이 다 자리 잡지 않아 아란의 발음은 부정확하다. 그런 아란의 상태가 걱정되는지 안 되는지 한은 늘 그래왔듯이 자신의 감정에만 솔직하다. 아란의 외모만을 궁금해한다. 한도 결국 아란이 봐온 다른 남자들처럼 아란의 얼굴과 몸만을 바라는 것이다. 한과 같은 남자들이 세상 전부라기에는 훨씬 부족한 일부이지만, 아란은 그런 것들만 겪어 왔기에 어쩔 수 없이 불행하게도 남자는 다 여자를 성적으로만 여긴다고 생각한다. 자연스레 남자를 무서워하게 된다. 눈치를 보게 된다.

눈치만을 바쁘게 보는 아란의 눈이 있는 아란의 얼굴은 빼어나게 아름답지는 않지만, 평균보다는 이쁘장한 얼굴이라서 어디 가서 못생겼다는 소리는 절대 듣지 않는다. 못생김이 하나도 없는 아란의 얼굴이지만, 엄청 예쁜 얼굴은 아니라서 한처럼 사람들이 생각보다 쉽게 넘보기도 한다. 또, 아란이 선망하는 거뜬하게 상등급 외모가 되는 사람들과 함께 있으면 아란은 평범한 얼굴이 된다. 아란은 어디서나 예쁜 사람으로 기억되고 싶으면서도 어디서나 예쁜 사람이 되었을 때의 따라오는 평가와 시선은 싫어한다. 아란이 줄곧 겪어 왔던 것이기에 아란은 그런 사람들의 눈과 입을 증오한다. 그런 눈과 입을 가진 한의 목소리가 아란은 벌레보다 징그럽다. 이런 아란의 마음을 아는지 모르는지 한은 아란에게 보고 싶다고 말한다. 중저음으로 멋스럽게 깔리는 목소리가 아닌 옹졸한 한의 음성은 귀에서 멀리 떨어뜨리고 싶다. 아란은 한의 목소리마저도 이젠 지겨워서 대답하는 것도 잊은 채 허공을 응시한다. 한은 가만히 아란의 대답을 기다리다가 아란을 부른다. 갑자기 커진 한의 음성에 아란은 자신에게도 한의 못생김이 묻을 것만 같아 얼른 대답한다. "그래, 그러자." 이 한 마디에 한은 함박웃음을 짓는다. 아란은 한이 함박웃음을 지을 때 생기는 얼굴의 주름들이 연상되어 인상을 쓴다.

한은 신이 나서 아란에게 자신이 가능한 날짜를 쭉 보내고, 자신과 놀러 갈 곳들을 정해서 쭉 보낸다. 아란을 한숨을 쉬면서 한이 보낸 것들을 대강 본다. 두어 달 후에

만나기로 한다. 아란은 늘 그렇듯 포주가 구해준 집에서 포주가 해주는 밥을 먹는다. 아란은 자신을 위해 죽을 쒀주는 포주의 뒷모습을 보면서 한 번도 보지도, 만지지도, 맡아보지도 못한 엄마의 향을 맡는다. 왜인지 모르게 눈물이 날 것 같은 아란은 괜히 기침한다. 아란의 기침 소리에 포주는 뒤를 돌아본다. 아란은 아무렇지 않은 척 싱긋 웃어 보이고 포주도 싱긋 따라 웃는다. 아란은 포주와의 거리를 좁히고 싶으면서도 포주가 원치 않음을 알기에 포주의 거리를 존중해준다. 한도 그러면 좋으려만 한은 아란처럼 자신도 가족에게 버림받은 과거를 가졌다는 이유로 버림받는 게 무서워서 그런다며 항상 자신의 집착을 합리화하고 정당화한다. 아란도 마찬가지로 자신의 엄마와 아빠에게 버림받았는데 그러지 않는다. 한의 말은 그저 아란을 자신의 멋대로 길들이기 위한 허울 좋은 글자들의 뭉침일 뿐이다. 아란은 한과의 만남이 다가오면 다가올수록 살기 싫어진다. 포주는 그런 어두워지는 낯빛의 아란을 눈치채지만 놔둔다. 아란은 어색한 정적을 깨고 포주에게 진심을 전한다.

"저한테 이렇게 집도 사주시고, 성형도 시켜주시고 밥도 해주시고 정말 감사해요."

아란의 진심 어린 감사를 들은 포주는 무언가 울컥하는 마음의 멍울이 느껴진다. 곧 쏟아져 내릴 것 같은 포주의 멍울을 포주는 안간힘을 쓰며 아무렇지 않은 척 목이 아프도록 삼킨다. 아란은 포주가 해준 죽을 휘휘 저으며 말을 이어간다.

"저한테 쓰신 돈 저 다 갚을 거예요. 갚아야 하는 거 알고 있어요. 그쪽이 여자들이 몸 파는 돈으로 돈 버는 것도 알고 있고요. 저 어차피 남자들하고 많이 자봐서 그런 거 잘해요. 맛있다고들 많이 말하더라고요."

씁쓸하게 웃으며 말하는 아란의 표정은 갓 열아홉이 된 아란이 짓기에는 너무도 쓰고도 떫은 표정이다. 그런 아란의 표정에 포주는 죄책감을 느끼는 듯 마음이 울렁거린다. 울렁이는 마음은 파도를 하나 일으켜 아란을 향한 죄스러움과 안타까움을 마음 위로 떠 오르게 한다. 마음의 떠오름은 표정으로 드러난다.

"뭐 그렇게 아픈 표정을 지어요. 난 괜찮은데. 차라리 그냥 몸 파는 걸 업으로 삼는 게 나을 것 같기도 해요. 이왕이면 제대로 하는 게 좋잖아요. 그래야 돈도 되고."

"괜찮은 게 어딨어. 몸을 파는 게. 몸을 파는 건 괜찮지 않은 일이야. 몸을 사는 사람들도 괜찮지 않은 사람들이고. 우린 다 괜찮지 않아."

포주는 대부분 술에 취해 있었고, 대부분 아란의 말에 웃으며 대충 대답을 하며 넘길 뿐이었는데 포주가 대답다운 대답을 해주고 있다. 웃지도 않은 채. 아란의 말처럼 아픈 표정을 지은 채 맨정신으로 또박또박 말하고 있다. 혀가 하나도 꼬이지 않고, 애교도 하나도 부리지 않으며, 콧소리도 하나도 섞이지 않은 포주의 목소리는 지적이다. 포주의 원래 목소리는 이렇게 우아한 거였나 신기한 아란은 포주의 목소리를 더 듣고 싶어 어떤 말을 해야 좋을까 생각한다. 아란의 생각에 답을 하듯 포주는 입을 뗀다.

"아란아, 내가 미안해. 이제 안 할게."

"뭐가 미안한데요? 뭘 하고 있었는데요? 왜 이렇게 나는 나와 관련된 일인데 나만 모르는 게 늘 있는 거죠?"
아란은 약간 격앙된 떨리는 목소리로 포주에게 묻는다. 포주는 입술을 파르르 떨며 고개를 푹 숙인 채 미안하다고만 되풀이한다. 아란은 괜찮다고 말한다. 이런 일 예전에도 있었다고 담담하다고 말한다. 외려 뭔지는 모르겠지만 사과를 해줘서 고맙다고 말한다. 아란의 너그러움에 포주는 눈물을 흘린다. 아란은 타인의 눈물에 면역이 없어 진심으로 당황하며 어쩔 줄 몰라 하다. 자신은 괜찮다고 연신 되풀이한다. 아란은 태어나 사랑을 받지도 않고 오직 폭력을 받고, 심지어 꿈에서도 B라는 것에게 세뇌당하듯 명령을 받들었었는데, 왜 이토록 따듯한 걸까. 아란은 그냥 잘 흔들리는 사람이 아닐까. 때리면 맞고, 명령하면 따르고, 세뇌하면 세뇌당하는 그런 순수한 사람이 아닐까. 때 묻지 않아서 때가 묻었을 때 티가 확실히 나는 새하얀색이 아란이 아닐까. 아란은 자신을 위해 따듯한 죽을 만들어준 포주의 따스함에 물들어 따듯하게 포주를 안아준다. 괜찮다고 말한다.
"무엇인지는 모르겠지만, 나는 괜찮아요. 사과해줘서 고마워요. 나 미안하다는 소리 맨날 하기만 했지 들어보는 건 처음 같아요."
아란과 포주는 사람 대 사람으로 서로를 꼭 껴안는다. 포주의 어깨를 감싸고 있는 아란의 팔에 포주의 울음이 묻는다. 포주의 울음소리는 들리지 않아 더욱 슬프고 마음이 무너져 내린다. 포주의 울음에는 행하지 말았어야 할 범죄 행위에 대한 갖가지 오염된 감정이 쓰나미처럼 몰려 뒤엉켜 있다. 아란은 포주가 자신에게 행한 범죄 행위를 알고도 안아줄 수 있을까. 만약 그것마저 안는다면 아란은 지독한 외로움과 결핍에 시달리고 있는 게 아닐까.

아란은 포주와 따듯한 두어 달을 보냈다. 성형을 또 해서 포주의 보살핌을 받고 싶을 정도로 포주의 보살핌은 아란에게 온기를 불어넣을 만큼 따듯했다. 따듯했던 두어 달 남짓한 시간이 지나 한을 만나는 날이 왔다. 아란은 한이 자신을 예쁘다는 듯이 바라보는 눈빛이 심히 음흉하다고 느껴져 최대한 아끼지 않는 옷을 꺼내 입는다. 한은 한껏 꾸미고 나와 아란을 반긴다. 턱 수술로 턱이 잘 교정된 아란의 얼굴을 보고 정말 예쁘다는 듯이 웃는 한의 얼굴에서 아란을 향한 지독하도록 지겨운 흉물스러운 모양의 사랑이 느껴진다. 아란은 메스껍다. 아란은 '왜 저렇게 생기고 키까지 작은 게 나를 좋아할까.'라는 생각을 한다. 아란의 생각은 분명 사람을 외모로 판단하는 어떻게 보면 옳지 못한 생각이지만, 사실 누구나 한 번쯤은 다 해 볼법한 보편적인 생각이다. 마치, 잘생기거나 예쁜 사람이 자신에게 다가오면 자랑스러워하면서 못생긴 사람이 자신에게 다가오면 고백으로 공격을 당한 듯 고백받은 사실을 숨기려 하고 고백이 놀림거리가 되는 현상과도 같은 것이다. 이 자연스러우면서도 부자연스러운 모순적인 현상은 지극히 정상적이면서도 비정상적이 기형의 구조라서 선불리 말하기도 표현하기도 상당히 꺼려진다.

더욱 아름답게 피어난 꽃 한 송이처럼 아름다운 아란의 얼굴을 보고 더 이상 자신의 감정을 숨기지 못하겠는 한은 자신의 마음을 고백하기로 다짐한다. 아란 역시 다짐한다.

한은 아란이 자신 외에 다른 사람하고 연락하며 시시덕거리는 게 거슬리고 자신이 아란만 바라보듯 아란이 세상에서 가장 소중하듯 아란도 자신만을 바라보고 자신을 세상에서 가장 소중히 여겨주기를 바란다. 하지만 아란에게 한은 포주보다도 못한 존재다. 한은 아란이 어느 순간부터 자신보다 포주에게 더 의지한다고 느껴 아란에게 더욱 집착했고 매일 입술을 툭 하고 내민 채 아란이 전화를 받을 때까지 전화했었다. 아란은 매일 성의 없이 대답했고 한은 항상 불평을 늘어놓았었다. 아란은 그런 한의 불만이 이해가 가지 않았고 이해하고 싶지도 않았다. 날이 갈수록 깊어지는 아란을 향한 한의 마음은 아란과 한을 더욱 멀리 떨어뜨려 놓았다.

한의 다짐은 아란을 향한 사랑의 고백이고, 아란의 다짐은 한을 향한 혐오감에 대한 고백이다. 두 명의 진실하고도 절절한 고백은 지나가는 사람들의 시선도, 스치는 바람들도 아무런 것도 느끼지 못할 정도로 서로의 진심에만 집중되어 있다.

누가 먼저 말할까 봐 서로 눈치 보며 망설이다가 한이 말하려고 한다. 아란은 한의 말을 가로막는다.

"나 너 싫어."

"어?"

"왜 몰라? 네가 나 그렇게 잘 안다고 떠들어 댔으면서. 왜 몰라? 이것부터가 넌 날 모르는 거야."
"아니야, 내가 너를 제일 잘 알아."
"너도 알잖아. 내가 어떤 스타일을 좋아하는지. 그런 걸 알면서도 너 같은 게, 너 따위가 나한테 자꾸 들이대는 거 너무 쪽팔리고, 부담스러워. 네가 내가 다른 사람이랑 연락하는 거 마뜩잖아 하는 것도 짜증 나고 이해 안 가. 너 집착 숨 막혀. 그래도 나는 네가 나 좋아하는 거 알고, 너만큼 나 잘 아는 사람 없어서 창피함도, 못생김도 다 참고 널 좋아해 보려고 노력했어. 그런데 그럴 때마다 토 쏠리더라. 네가 가까이 올 때면 나는 입 냄새, 손에 수북한 털, 나랑 얼마 차이 나지 않는 키, 좁은 어깨, 목소리. 사사로운 것들. 그냥 모든 게 싹 다 싫어. 특히 그런 꼴을 하고 나하고 잘 될 거라는 확신하고 내 감정 내 입장 하나도 배려하지 않은 채 들이대는 너의 솔직함과 이기심이 끔찍해. 너 눈에는 내가 예뻐 보이겠지만 내 눈에는 네가 징그럽도록 못나 보여. 쪽팔리다고."
숨도 쉬지 않고 뱉은 아란의 말에 아란 자신도 놀라고 한도 놀란다. 한은 분명 아란도 자신과 같은 마음일 거라고 확신했기에 충격받는다. 설사 자신과 같은 마음이 아니더라도 어느 정도 자신에게 호감이 있을 거로 생각했기에 한은 아란에게 배신감을 느낀다.
"너 나 가지고 논 거네. 이럴 거면 그러지 말았어야지. 나한테 여지 있는 대로 다 줘놓고 지금 뭐 하자는 거야."
"내가 무슨 여지를 줬는데? 네가 먼저 다가온 거야. 난 너 누군지도 몰랐어. 너랑 처음 마주친 거 기억도 안 난다고.”

“내 얼굴 때문에 싫은 거야? 내 얼굴이 왜? 너는 얼마나 잘났는데. 너 솔직히 좋게 봐줘봤자 이쁘장한 거잖아. 엄청 이쁜 것도 아니잖아. 뭐가 그렇게 잘 났는데 남의 얼굴 가지고 지랄이야.”

“야, 말은 똑바로 해야지. 너나 얼굴 가지고 지랄하지마. 네가 나한테 관심을 가지게 된 계기가 뭔데? 얼굴 아니야? 지금 네가 평범하다고 말하는 내 얼굴 아니냐고. 그래놓고 뭐 너는 사람 외모 안 따지는 것처럼 깨끗한 척, 성인군자처럼 떠들어 대지 마. 역겨우니까. 네가 먼저 내 얼굴 좋아서 이성으로 느낀 거잖아. 들이댄 거잖아. 너 만약에 내가 못생겼어도 나 도와줬을 거야? 아니잖아.”

“아니야. 나는 너하고 내가 같은 처지라서 공감이 됐을 뿐이야.”

“말은 똑바로 해야지. 너 눈에 내 얼굴이 마음에 안 들었잖아? 그러면 넌 내 얘기 들을 생각도 안 했어.”

아란은 한에게 느낀 감정에 대해 억지로 다른 사람의 비위를 맞추는 게 일상인 아란답지 않게 지나칠 정도로 솔직하게 말하고 있다. 한은 애써 부정하지만 아란의 말 중 틀린 것은 없다. 아란의 말대로 한의 눈에 아란의 외모가 마음에 들지 않았다면 아란에 관한 관심도 호감도 좋아하는 마음도 사랑도 없었을 것이다.

한과 아란의 의미 없는 고성들이 오간다. 서로의 외침이 지속할수록 서로에게 상처만 쌓일 뿐인데 한과 아란은 멈추지 않는다. 한은 자신이 아란을 위해 얼마큼 애썼는지를 말하고 아란은 한 때문에 희생된 자신의 시간을 말한다. 결국, 한은 아란의 눈에 최악으로 못생겨 보일 정도로 얼굴을 잔뜩 찌그러뜨린 채로 엉엉 운다. 눈에서 눈물이 떨어진다. 그 눈물방울마저 아란의 눈에는 끔찍하리만큼 징그럽고 못생겼으며 흉측하다.

"너 후회하지마. 내가 너를 잘 알았던 만큼 네가 몰랐던 것들 까지 떠들고 다닐 거니까. 너 쫓아다녔던 시간보다 더 열심히 너 따라다니면서 저주할 거니까. 네 인생 조져버릴 거니까. 우선 이것부터 알려줄게. 네가 그렇게 따르는 포주? 걔 네 새오빠가 찍은 영상 새아빠한테 사서 파는 년이야. 그거나 알고 따라. 골 빈 걸레야. 천박한 창녀야. 이 정신병자년아. 강간이나 쳐 당하고 후장이나 뚫려서 식물인간이나 돼라."

자신을 아무렇지 않게 술집 여자 취급하며 폭언과 함께 저주하는 한의 말에 오만 정이 다 떨어진 아란은 한이 어떤 말을 뱉었는지 귀에 담지도 않은 채 뒤돌아서 간다. 아란의 뒤통수에다가 대고 한은 삿대질을 하며 끝까지 소리치며 욕을 퍼붓는다. 아란은 차갑게 온몸에 식어 온몸이 파르르 떨려 오지만 언젠가는 거쳐야 할 관문이었다면 스스로 위로한다. 어쩌면 한이 B보다 더한 쓰레기가 아니었을까 하며 쓸모없는 비교도 한다.

집으로 돌아온 아란은 한이 한 말을 되새김질해본다. 새오빠가 찍은 영상을 포주가 퍼뜨렸다는 게 무슨 말일까 생각한다. 한이 한 말이 만약 맞다면 포주가 자신에게 사과한 것도 말이 되는데. 아란은 한의 말이 맞는 거 같지만 더는 자신의 인생이 한에 의해 휘둘리는 게 싫고, 포주는 자신에게 미안하다고 말했으니까 무식하리만큼 용감하게 한이 알려준 진실을 무시한다. 포주의 사과를 받아들인다. 포주가 사준 옷과 구두를 신고 아란은 포주가 있는 술집으로 향한다.

술집에는 늘 그렇듯 포주가 있다. 항상 늘 그곳에 있는 포주를 보니 아란은 안심이 된다. 아란을 본 한 남자는 아란을 뚫어져라 쳐다본다.

아란은 뚫릴 듯이 자신의 눈을 바라보는 남자의 시선과 마주쳐 깜짝 놀라 당황한다. 포주는 후다닥 아란에게 달려가 아란을 자신의 뒤로 숨긴다.

"이 언니는 아직 어려서 안 돼~ 오빠."

"얼마나 어리길래 그래요? 그냥 데려가게 해줘요. 나 다시 방 들어가기도 싫어서 그래요. 그냥 데려갈게요."

포주의 눈 바로 앞에 남자의 빛이 나는 시계와 카드가 눈에 들어온다. 남자의 시계는 포주가 살면서 본 가장 비싸 보이는 시계고, 남자의 카드는 상위 1%만 쓸 수 있는 VIP 카드다. 포주는 술에 취한 것인지 돈에 취한 것인지 침을 꿀꺽 삼킨다. 남자는 포주의 흔들림을 눈치챘는지 아란을 재빠르게 낚아채 가고 자신의 카드를 포주의 손에 쥐여 준다.

"받고 싶으신 대로 결제 부탁할게요."

아란은 어리둥절한 표정으로 남자의 손에 붙잡혀 가면서도 어떤 일이 벌어질지 훤히 보여 그다지 놀랍지도 당황스럽지도 않다.

남자의 손에 끌려 남자의 번지르르한 차에 탄다. 아무런 소음도 들리지 않는 잔잔한 승차감에 아란은 불안을 잠시 잊는다. 정확히는 모든 것을 잊고 싶은 듯 지워버리고 싶은 듯 창문을 바라본다. 남자는 아란을 힐끔 보고는 창문을 내려준다. 노래도 틀어준다. 잡음 하나 없는 매끈한 음악 소리를 처음 들은 아란은 새로운 세계라도 만난 듯 창문 밖으로 손을 뻗어 서울의 밤공기를 만끽한다. 한강의 황홀한 야경이 펼쳐진다. 반짝이는 불빛들이 강의 물에 비쳐 반짝인다. 아란은 몸을 팔러 간다는 것을 알고 있지만, 이 순간만큼은 만족스럽다. 심지어 한과 있을 때보다 편하다. 한의 음흉한 시선과 무언가를 바라는 불결한 마음이 아란의 목을 조이지 않아서 아란은 편하게 숨을 쉬고 창문을 보며 아 하고 입을 벌려보기도 한다.

으리으리한 호텔 앞에 내렸다. 별이 다섯 개나 붙어져 있는 호텔은 주차도, 문도, 짐도 다른 사람이 해준다. 아란은 이런 대접이 처음이라서 모든 것이 어색하다. 그저 남자의 뒤통수를 어설픈 또각거리는 소리로 쫓아갈 뿐이다. 엘리베이터를 타고 제일 높은 층으로 올라간다. 호텔방이 보인다. 아란은 늘 그래왔듯이 아무런 말도 없이 스스로 옷을 벗는다. 순식간에 아란은 속옷만 입고 처음 보는 남자의 앞에 서 있다. 아란은 아무렇지 않게 남자의 알몸이 보이도록 옷을 벗기려고 다가간다. 남자는 흠칫 뒷걸음친다. 아란은 당황하지 않고 억지로 입꼬리를 끌어올려 묻는다.

"아, 씻고 할까요? 저 씻고 오긴 했는데 원하시면 한 번 더 씻을게요. 같이 씻어도 상관없어요. 옷 벗겨드릴게요. 씻겨 드릴게요."

억지로 위로 끌어당긴 아란의 입꼬리는 불편하기 짝이 없어 보인다. 아란은 자신의 얼굴이 어딘가 어색하고 불편한 표정을 짓고 있다는 것을 안다. 어쩌면 자신의 이런 가식적인 표정이 잔뜩 찌그러뜨려 얼굴에 주름이 생기고 불쾌하리만큼 두꺼운 입술이 툭 하고 튀어나와 미친 듯이 못생긴 한의 얼굴보다 더 보기 안 좋을 수도 있다고 생각한다. 생각의 끝에는 자신이 마음에 들지 않아 맞을까 봐 또는 재미를 위해 맞을까 봐 두려움에 사로잡힌 걱정이 자리 잡고 있다. 남자는 딱딱하게 말한다.

"그쪽 씻든 말든 내가 알건 아니고 나는 내가 알아서 씻고 잘게요."

아란은 어리둥절한 표정으로 화장실로 들어가 샤워를 한다. 호텔 안 화장실에는 아란이 처음 맡아보는 향기를 담은 향긋하고 고급스러운 시트러스 향의 샴푸와 트리트먼트와 보디워시, 보디로션이 준비되어 있다. 화장실이 자신의 방보다 넓다는 것이 신기한지 아란은 한참을 두리번거리다가 천천히 씻는다. 그러다 영화에서 슬쩍 본 적이 있던 욕조가 눈에 띈다. 아란은 남자에게 묻는다.

"이거 써도 될까요?"

"네."

남자의 짧은 대답에서 왜인지 모를 예의와 점잖음을 느낀 아란은 편하게 씻는다.

아란은 남자의 온몸을 자신의 혀와 몸으로 적시고, 자신을 남자의 정액으로 적실 줄 알았다. 아란은 아무것도 없는 호텔 방 안 천장을 보며 또 시작됐구나며 체념할 줄 알았다. 아란은 세상이 자신에게 단단히 삐쳐있다고 확신하며 남자의 손에 끌려갔다. 자신을 쉽게 보낸 포주를 원망했다. 원망과 나란히 있는 아란의 예상과는 모든 게 다르게 흘러간다. 하지만 아란은 남자를 만족시키려는 방법들을 계속 배워왔고, 아란을 대하는 모든 남자는 아란을 사람 이전에 다 여자로 보았기에 다름을 인지하지 못한다. 아란은 저 까다로워 보이는 남자를 어떻게 만족시켜야 하나 골똘하게 생각한다. 그러면서도 그냥 이대로 저 남자가 여기까지 자신을 데려오며 아무런 부탁도 요구도 하지 않은 것처럼 놔두어 주기를 바란다. 오늘 아란은 너무 힘들었기에 그저 가만히 있고 싶다. 아란은 다 씻고 수건 하나만 걸친 채 나온다. 남자도 씻으러 들어간다. 아란은 생전 처음 앉아보는 좋은 꿈만 꿀 것 같은 침대에 앉아 발을 통통 부딪쳐 본다. 처음 보는 사람에게서 느낀 편함에 어느새 아란은 침대에 누워있다. 누워서 가만히 있는 아란의 눈에는 자신이 겪은 일들이 갑자기 천천히 주마등처럼 스쳐 지나간다.

아란의 유일한 친구는 자신을 여자로만 봤고 자신에게 걸레라고 그랬다. 그 외에도 수많은 폭력적인 언어로 아란을 폭행했다. 따스함에 끌려 정을 주게 되었던 포주는 아무리 부정을 해봐도 한의 말과 포주의 사과를 고려해 봤을 때 자신을 이용한 죄책감에 자신에게 잘해주는 것 같다. 지금 자신의 상황은 나쁘지 않지만, 포주는 이 사실을 알 리 없다. 아란에게 포주는 그저 자신이 팔려가고 있음에도 말리지 않은 배신감을 안겨준 사람이다. 그런 사람인데 그 사람이 아니면 아란은 갈 곳이 없다. 그런 사람인데 그 사람은 자신이 수술 후 아플 때 지극정성으로 간호해준 사람이다. 진심이 보이는 사과를 한 하나밖에 없는 사람이다. 아란은 또 혼란스럽다. 포주는 이랬다가 저랬다가 하는 술에 취해 사는 사람이다. 언젠가는 자신의 성도 팔 것이라고 알고 있던 아란이다. 그것을 말리지 않을 포주라는 것을 알고 있던 아란이다. 다 알고 있었지만, 이렇게 빨리 자신을 파는 것에 은근슬쩍 적극적이었던 포주가 원망스럽기는 하다. 정을 주고받았기에 배신이라는 감정도 원망과 함께 공존한다. 스치면 스칠수록 괴로운 아란이 견뎌온 삶 속에서 아란은 자신의 몸과 마음이 비참하게 느껴진다. 자신은 자신의 몸뚱이를 팔지 않으면 살아갈 수 없는 건가라는 절망감에 아란은 세상에 버려진 게 자신의 운명임을 직시하며 억울함에 눈물이 폭발할 것만 같다. 아란은 결국, 세상이 자신에게 등을 돌렸다고 확신의 확신을 더 한다. 아란은 자신의 처지가 절망적이며 불쌍하다. 아란은 자신을 동정할까. 아란은 눈물을 새하얀 침대의 이불에 떨구며 작은 목소리로 말한다.

"네가 날 버린 게 아니라 내가 너를 버린 거야."

아란은 자신의 무너진 존엄을 이렇게나마 지켜보려고 한다. 자신이 먼저 한 것이라고, 세상이 이렇게 만든 게 아니라 자신이 세상을 이렇게 만든 것이라고 자신에게 위로를 건네지만, 위로되지 않는 듯 아란은 하얀 이불을 적신다.

다 씻고 나온 남자가 보인다. 아란은 일어난다. 자신의 몸을 가리고 있는 수건을 벗는다. 남자는 아란의 굴곡진 몸에 바로 시선을 떼지는 못하지만, 눈을 질끈 감고 등을 돌린다. 아란은 의아하다. 한 번도 경험해 보지 못한 일이다. 아빠라고 불렀지만, 아빠가 아닌 것, 오빠라고 불렀지만, 오빠가 아닌 것, 그리고 그것들이 가져온 무수히 많은 것들은 자신의 몸을 뚫어져라 봤는데 이 남자는 처음부터 자신의 몸 대신 눈을 뚫어져라 봤다. 심지어 한도 아란의 몸을 보며 침을 꿀떡꿀떡 삼키거나 사진을 찍어준다는 핑계로 아란의 성기를 가리고 있는 속옷을 찍으려고 애썼다. 또, 은근히 몸을 기대며 아란의 가슴에 팔을 가져다가 댄 적도 있었다. 지금 아란 앞에 있는 이 남자는 자신의 벌거벗은 몸을 엉망진창으로 만지지 않고 피한다. 가운을 가리키며 입으라고 한다. 자신과 등을 돌린 채 잠을 잔다.

아침이 되었는지 호텔의 창문에 햇빛이 찬란하게 들어온다. 높은 층에서 내려다보는 아란이 살던 저 아래는 아름다워 보인다. 남자는 보이지 않는다. 아란은 남자를 찾기 위해 호텔 방을 돌아다닌다. 거실에 무언가가 있다. 돈 봉투와 쪽지다.

쪽지에는 아란이 처음 느껴보는 인간의 배려와 도덕성과 윤리의식이 적혀있다.

'저랑 같이 잤다고 말하세요. 그러고 앞으로도 저랑 잠자리를 가진 척 연기하세요. 내가 자주는 못가도 일주일에 한 번은 갈 수 있어요. 그럴 때마다 그쪽을 지목할 테니 따라오세요.'

돈도 엄청 많이 들어있었다. 처음 받아보는 쪽지다운 쪽지에 아란은 감동 받았는지 귀중품이라도 챙기듯 살뜰히 챙긴다. 돈 봉투는 그냥 아무렇게나 챙기지만, 이전에 몸을 팔아 받은 돈보다는 소중히 챙긴다.

아란은 포주가 있는 술집에 가기 싫어 자신의 집으로 곧장 간다. 도어락 비밀번호를 누르고 문을 연다. 신발장에 포주가 신을만한 화려하고 천박하지만, 값이 비싸 보이는 구두가 보인다. 포주는 아란을 안아준다. 아란은 포옹에서 느껴지는 비릿함이 역겹지만, 그냥 늘 그래왔듯이 호의를 받아들인다. 한의 호의를 받고 나중에 후회를 미친듯이 했으면서도 아란은 다시 또 호의를 받는다. 무표정으로 아무런 감정 없이 호의를 받는다. 호의를 받았다고 하기에는 아란은 아무런 것도 느껴지지 않는다. 포주는 또 운다. 아란은 왜들 이렇게 자신의 앞에서 물을 흘리는지 짜증이 나려고 한다. 포주는 남자의 돈에 눈이 멀어 아란이 아직 열아홉 살인 걸 망각한 채 말한다.

"아란아, 너 당분간은 그 사람한테만 몸 대주면 될 것 같아. 다른 사람이랑 잠자리 가진 애들하고는 그 사람이 같이 있기 싫대. 너하고만 자겠대. 돈도 엄청 많이 주더라고. 너한테도 따로 돈 줬니?"

아란이 받았을 그것으로 예상하는 현금도 탐이 나는 듯

눈을 희번덕거리며 말하는 포주의 눈에 진절머리가 나지만 돈을 준다. 포주는 받지 않는다. 이랬다저랬다 희까닥하는 포주가 한결같이 좋아하는 돈을 받지 않는다. 이 모습에 아란은 쓸데없이 너무도 쉽게 다시 한번 포주에게 사르르 녹는다.

팔지 않았지만 팔린 아란의 몸으로 인한, 아란의 화류계 데뷔는 호텔 거실에 놓여있던 돈만큼이나 화려했고, 화려했던 만큼 아란의 몸과 마음은 어딘가 모르게 허전하다. 왜인지 모르게 남자가 보고 싶으면서도 남자 없이는 자신은 살지 못하는 것인가, 왜 이리 의존적일까 싶어 자신을 인간으로 대한 남자가 미워진다.

남자는 정말 자신의 말대로 일주일에 한 번 찾아와 자신에게 손 하나 대지 않고 등을 돌린 채 잠에 들고 아란이 일어나기 전에 돌아갔다. 아란은 그런 남자가 궁금했지만 묻지 않았다. 남자도 아란에게 아무런 것도 묻지 않기에 둘은 서로 침묵만을 유지했다. 정적이 감도는 그 남자와의 순간은 아무런 소리가 들리지 않아 공기만이 돌아다니는데, 참 편했다. 아란은 남자의 행동이 이해가 가지 않으면서도 이 이해가 가지 않는 관계가 좋았다. 아란이 스무 살이 되기 전까지 이해가 가지 않는 그 둘의 관계는 지속됐다.

지속됨 속에서 아란은 남자와 등을 계속 마주하며 남자의 눈 대신 넓은 호텔 방안 저 끝에 보이는 고급스러운 벽지를 마주한다. 처음, 자신의 눈을 빤히 보던 남자의 눈이 그립고 보고 싶으면서도 자신이 앞을 보이면 어김없이 자신의 가슴으로 시선이 내려가던 짐승과도 같은 남자들을 생각하면 이 남자도 그럴 것만 같아 차마 용기가 나지 않는 아란이다. 아란은 남자의 조용함과 차분함, 은은한 향기가 좋다. 그렇지만 티 내지 못한다. 티 내지 않는다. 자신이 티를 내는 순간 이 남자도 자신의 몸을 탐할까 봐 겁이 난다. 아란에게 남자는 전부 다 짐승일 뿐이다. 성기가 숙주가 되어 성기를 일으켜 세우고 성기가 물을 힘차게 뱉을 때 쾌감을 느끼는 성기의 노예들일 뿐이다. 분명 현실은, 사실은 그렇지 않음에도 불구하고 아란은 계속 그렇게 살아왔기에 자신을 대하는 모든 남자가 그래왔기에 그렇게밖에 생각을 못 한다. 이 남자는 그렇지 않을 거라는 왠지 모를 확신이 있으면서도 다가가지 못한다. 남자는 아란의 소심한 마음을 아는지 선불리 다가가지 않는다. 기다린다. 남자는 왜 아란을 기다릴까. 아란에게 잘해줄까. 아무런 이유 없이. 어떻게 그럴 수 있는 걸까. 남자 역시 아란을 향한 자신의 호의가 의아하면서도 이해가 간다.

그냥 그런 것이다. 이유는 없다. 이유 없이 찾아오는 불행처럼 이유 없이 찾아오는 행운도 있는 것이다. 이유 없이 찾아오는 혐오처럼 이유 없이 찾아오는 사랑도 있는 것이다. 모든 것에는 이유가 있으면서도 이유는 없다. 그런 것이다. 아란의 불행도, 아란을 향한 사랑도 그런 것이다. 아란이 자신의 불행을 받아들이듯이 자신을 향한 집착 하나 없는 순수한 사랑을 받아들인다면 어떨까. 남자는 아란을 이해해주지 않을까. 아란은 잘못이 없으니까. 아란은 그저 자리지 못한 소녀일 뿐이니까.

이유도 없고, 알 수도 없는 호의와 사랑 속에 아란의 눈은 채워지려나 보다. 그랬는데 하염없이 흐르는 시간은 약속된 아란의 스무 살과 가까워진다. 아란은 짐작 아닌 확신을 한다. 때가 왔다. 또다시 하염없이 다리를 벌릴 시간이 왔구나. 아란은 체념한다. 단념한다. 그러려니 한다. 원래로 돌아간다고 생각한다. 정상적인 남자와의 시간은 찰나의 찬란한 빛이었을 뿐이고, 다가올 긴 시절들이 자신의 원래라고 생각하며 채워지는 눈동자를 다시 비운다. 텅하고 아무것도 없이 비운다. 그 어떤 고통도 수치심도 느낄 수 없도록 자신을 비운다. 그래도 아란은 아프다. 자신의 인생이 불쌍하며 자신의 전생이 한스럽고, 왜 자신이 그로 인해 고통받아야 하는지 한스럽다. 원래 이런 것일까. 태어날 때부터 인생은 정해지는 것일까.

아란이 스무 살이 되기 하루 전날, 포주는 아란을 부른다.
"너 이제 성인이지? 본격적으로 할 수 있을까? 너 집 구해준 거라 수술비는 갚긴 해야 해서. 내가 이렇게 말해서 미안해. 그런데 너도 알고 있었던 거니까.. 그래도 미안하긴 하네.."
포주 자기 자신도 염치없는지 포주답지 않게 눈치를 슬슬 보며 말한다. 이럴 때보면 포주는 양심이 있는 사람 같다.

"알고 있어요. 뭘 새삼스레 제 눈치를 보세요."
아란은 애써 웃어 보인다. 성인이 된다는 건 누군가에게는 자유고 누군가에게는 책임과 의무이구나 싶다. 심지어 자신이 지어야 하는 책임과 의무는 남으로부터 시작된다는 것에 아란은 씁쓸했지만 언젠가는 닥칠 일이었기에 한편으로는 아니, 사실 아주 아주 담담하다. 정말 아란은 아무렇지 않다. 이제 겨우 스무 살인 주제에 속은 있는 대로 다 썩어 문드러졌지만 아란은 상처가 쌓이고 쌓여 단단하기도 하다. 쉽게 무너지지 않는다.

일주일에 한 번 오는 남자가 왔다. 텅하고 완전히 비어버린 아란의 눈동자에 남자는 무슨 일 있냐고 묻고 싶지만, 묻지 않는다. 늘 그래왔듯이 침묵을 유지한 채 야경을 벗 삼아 서울을 가로지른다. 한강을 건넌다. 호텔에 도착한다. 늘 그렇듯 호텔에서 제일 높은 방으로 간다. 늘 그렇듯 각자 씻고 등을 돌린 채 각자 눕는다. 아란은 등을 돌려 눕는다. 남자는 아란의 뒤척임을 눈치챘지만, 모른 척한다. 그저 남자는 아란의 텅 빈 눈동자가 안쓰러울 뿐이다. 자신의 잘못도 아닌데 미안할 뿐이다. 남자의 넓은 어깨와 등을 보며 안정을 느낀 아란은 묻는다.
"왜 저한테 잘해주세요?"
"잘해준 적 없어요. 사실 제가 그쪽 데리고 호텔 계속 갔던 것도 그러면 안 되는 일이잖아요. 그런데 그게 최선 같아서. 핑계 같겠지만 어쩔 수 없었어요. 내가 할 수 있는 최선이었어요."
"그러면 안 되는 일이었군요. 내가 남자에게 팔려가는

게."

"당연하죠. 더군다나 그쪽은 미성년자였잖아요."

"어떻게 아셨어요?"

"그냥 티가 나요."

"네. 그런데 어쩌다가 아니다. 아니에요."

묻다가 마는 남자의 말이 아쉬운 아란은 남자를 쳐다본다. 빤히. 남자는 아란의 시선에 못 이긴 척 등을 돌린다. 사실 남자는 줄곧 아란과 마주 보고 싶었다. 아란의 상처를 마주해보고 싶다. 왜인지는 모르겠지만 남자는 아란을 처음 안 순간부터 늘 그래왔듯이, 이유 없이 그러고 싶다. 아무런 예고 없이 찾아오는 행운처럼 남자는 아란에게 있어 예고 없이 생긴 사람이다. 아란만이 모르는 어쩌면 행운일 수도 있는 행복을 줄 수도 있는 삶에 몇 번은 찾아오는 사람이다. 어떤 순수한 진심이다.

침대에서 둘은 눈을 맞춘 채 가만히 있다. 아란은 침대에서 처음으로 눈만을 맞춘 채 있다. 손도, 입도, 성기도 맞추지 않아도 괜찮은 남자가 있다는 사실에 아란의 단단해진 상처가 말랑해져 울컥 쏟아질 듯하다. 금방이라도 울 것 같지만 건조해 보이는 아란의 눈에 남자는 아란을 자신이 가진 가장 따듯한 눈으로 바라보지만, 아란은 여전히 텅 비어 있다. 감정을 가뒀다. 억지로 꺼내기에는 울렁거리다가 다 토해버릴 것 같아서 토하다가 아란이 전부 쏟아져 내릴 것 같아서 남자는 다시 등을 돌리고 자자고 말한다. 아란은 남자의 자자는 말에서 배어 나오는 세심함에 고마움을 느낀다.

"고마워요. 전부. 진심으로. 고마워요."
남자의 세심함에 아란은 고마움으로 채워졌는지 고마운 진심을 남자에게 말한다. 아란과 남자는 서로 등을 돌리고 있어 서로의 표정을 보지 못하지만 분명 그 둘은 미소를 짓고 있다. 똑같은 의미의 미소를.

아침이 됐다. 남자가 있다. 룸서비스를 시켰다고 한다. 같이 밥을 먹자고 한다. 아란은 남자와 함께 아무 말도 없이 밥을 먹는다. 포크로 가운데를 톡 하고 건드리면 황금알이 쏟아지듯 나오는 달걀노른자의 고소함. 베이컨의 바삭함. 채소의 신선함. 이 모든 것은 아란이 처음 맛보는 것이다.
"맛있다."
맛있다는 아란의 말에 남자는 잔잔한 미소를 띄운 채 오롯하게 사랑만이 존재하는 웃음으로 산뜻하게 입꼬리를 올린다.

아란의 스무 살 첫날은 행복으로 가득했다. 누군가의 사랑이 시작됐다. 아란을 끊임없이 누군가가 사랑을 한다. 그것이 집착으로 오염되었든, 순수한 끌림이던. 아란은 늘 누군가에게 사랑받고 있다. 아름답게 자란 아란의 스무 살이 시작되었다.

비친 스물

남자와 여자의 신음이 섞인 공간에서 아란은 스무 살에 안착한다. 모르는 남정네와 몸을 뒤섞는 아란의 공간은 습기가 가득해 포근한 날씨가 아닌, 습기가 가득해 찝찝해 불쾌감이 치솟는 날씨다. 아란은 불쾌하다. 자신의 머리, 눈, 입, 가슴, 유두, 허리, 엉덩이, 성기, 다리, 손가락, 발가락을 구석구석 핥아대는 혀들이 진심으로 징그럽다. 자신에게 집착하며 자신에게 사랑을 갈구하던 한의 새까만 눈동자보다도 훨씬 징그럽다. 더 징그러운 사실은 자신은 이런 징그러움을 티 내지도 못하고 좋아하는 척 연기해야 한다는 것이다. 아란은 매일 연기했다. 매일 연기하다 보니 어떤 기분이 진짜인지, 어떤 기분이 연기인지 알 수 없는 아란이다. 아란은 자신이 성인이 되기 전 새아빠와 새오빠에게 당할 때 그래왔던 것처럼 자신을 부정하며 관찰자로서 보고 싶지만, 아란은 창녀이기에 성으로 상대를 만족시켜야 하는 사람이기에 그럴 수 없다. 아란은 쓸데없는 프로다. 아란은 인간으로서의 존엄을 찾을 수 없는 곳에서 존엄성을 간절히 갈망한다. 포주는 외면한다. 죄책감에 아란을 더 보지 않고, 아란의 여린 손과 어린 물음을 닿지도 들리지도 않게 멀리 떨어져 버린다.

시선은 거두지 못한다.

스스로가 점점 더, 걷잡을 수 없이 더러워진다고 느끼는 아란은 남자의 연락도 피한다. 남자와 아란은 아란이 스무 살이 되기 하루 전 함께 호텔에서 아침을 먹으며 핸드폰 번호를 교환했고, 남자는 종종 아란에게 시답지 않은 말들을 보냈다.
'밥 먹었어요?'
'오늘 바빠요?'
'내일은 뭐 해요?'
'잘 자요.'
별 것 없이 일상을 묻는 남자의 말에 아란은 답하지 못했다. 아란의 일상은 아란 자신이 느끼기에 더러웠기 때문이다. 자신을 가리키며 말하는 사람들의 말처럼 자신은 성을 파는 창녀였기에, 번듯하게 살아가는 남자에게 자신의 일상을 말할 수는 없었다. 남자 역시 청년 촌에 와서 여자와 뒤엉켜 노는 사람들과 함께 이곳을 와 아란을 알게 된 것이지만 남자는 성을 사려는 것들과 여자의 몸에 목마른 것들과 달랐다. 남자는 그 어떤 여자를 사지도 않았으며, 아란만을 구하려고 했다. 남자는 어떻게 그럴 수 있었을까. 왜 그런 바른 사람이 이런 곳에 놀러 왔을까.

남자는 어렸을 때부터 많은 사람을 만났다. 아버지의 사업을 따라다니며, 여러 사람을 만나며 사람들이 자신에게 보이는 호의가 순수하지 않음을 알았다. 기억이 시작되는 시점부터 남자는 사람들의 호의를 의심했다. 아란에게 보이는 사람들의 호의는 아란의 몸을 탐하는 것이라면, 사람들이 남자에게 보이는 호의는 남자의 아버지가 가진 권력과 부, 명예를 탐하는 것이었다. 남자는 어릴 때부터 사람들의 순수함보다는 탐욕을 만나며 사람들이 가식으로 숨긴 진심을 찾아냈다. 종종 신들린 것 아니냐는 물음을 받을 정도였다.

남자의 눈에는 아란의 아픔이 고스란히 보였다. 아란의 상처는 약으로 되는 게 아니라 병원을 가서 수술해야 하는 것만큼 깊다는 것이 느껴졌다. 정확히 어떤 사연인지 알 수 없었지만, 남자는 아란이 미성년자임을 단번에 알 수 있었다. 어색한 화장과 구두의 소리. 아무리 화장으로 숨기려 해도, 화려한 옷으로 감추려 해도 티가 나는 소녀의 앳된 모습은 남자의 눈에 너무나도 확실하게 보였다. 남자는 이런 소녀들을 자신의 아버지 때문에 꽤 많이 보았기에 알아차리는 데 큰 어려움이 따르지 않았다. 아란을 처음 본 그날도 남자는 아버지 손에 이끌려 사람들의 접대에 불려 나온 것이다. 단 한 방울의 남자의 자의는 없었다. 남자는 어떻게든 술집을 빠져나가고 싶었고, 그 구실이 아란이기도 했다. 자신을 위해 아란을 구해주려고 했지만, 아란을 본 순간 아란이 작은 소녀임이 너무도 선명하게 느껴져 남자는 어떤 의무감마저 느꼈다. 어린 나이에 겪지 않았으면 하는 부도덕한 일들을 인간의 추악함을 아란은 느끼지 않기를 바랬다. 아란이 어떤 사람인지도 모르면서 남자는 그런 사명감에 휩싸였었다. 남자의 눈에 아란의 눈에서 보이는 불안함과 지긋하게 깔린 아란의 선한 마음은 아름답게 보였다.

남자는 어떤 수술로도 바꿀 수 없는 사람의 눈빛을 중요시한다. 남자는 자신이 중요시하는 사람들의 눈빛을 보고 사람들을 읽으며, 그 사람만이 가진 본성과 본능을 꽤 뚫어 본다. 아란의 눈빛은 아름답게 자란 소녀의 눈빛이었다. 아름답게 자란 소녀가 이곳에서 아름답지 못한 것들을 보지 않기를 바랐다. 자신이 완벽하게 도와줄 수는 없겠지만 숨 쉴 수 있는 구멍은 만들어 줄 수 있다고 생각했다. 아란의 선한 눈망울에서 순수함을 느꼈기에 남자는 때 묻히기 싫었다. 자신처럼 너무 어린 나이에 사람들을 마주하며 이익과 손해를 계산하는 관계에 노출되게 하기 싫었다. 남자는 아란을 처음 본 순간부터 아란의 눈빛이 좋아서 단지 그 한 개의 이유만으로 아란에게 관심이 갔다. 호감이 생겼다. 지켜주고 싶었다. 흔들리는 불안한 아란의 눈망울을 안전하게 만들어주고 싶었다. 그래서 매주 아란을 보러 술집에 갔다. 남자의 아버지는 의아했지만 놔뒀다. 이제 자신의 자식도 진정한 남자가 된 것으로 생각했다. 진정한 남자는 남자의 아버지가 생각하는 정의보다 남자가 생각하는 정의가 옳음에도 불구하고 남자의 아버지는 성에 눈을 뜨는 것이 진정한 남자라고 생각했다. 남자는 아버지의 의견 따위 중요하지 않았다. 아란만이 중요했다. 무수히 봐온 어린 여자들의 불행 중 아란의 불행이 가장 크게 다가왔고, 마음이 동했으며 남자에게 아란은 가장 중요한 일이었다.

누군가는 그럴 것이다. 왜 갑자기 아란을 찾느냐. 왜 창녀에게 잘해주냐. 남자는 모르겠다고 말한다. 그저 남자는 눈에서 빛나던 반짝임을 잃은 아란의 선함에 다시 빛을 불어 넣어주고 싶었을 뿐이다. 아란이 마음에 들었을 뿐이다. 이유가 없더라고 이해가 가지 않더라도 그럴 수 있다. 아란은, 우리는 사랑받아 마땅한 사람들이기 때문이다.

아란의 조심스러운 태도와 순수한 미소는 호감과 관심을 넘어 좋아하는 감정을 부르기에 충분했다. 사소한 것에도 좋아하며 활짝 웃는 아란의 얼굴은 남자의 마음에 사랑을 심었다. 남자는 처음 느껴보는 이 감정에 대해 확신하지는 못했지만, 금세 알았다. 자신이 아란을 사랑한다는 것을. 남자는 진심으로 아란을 사랑한다. 아주 많이. 그래서 아란을 안고 싶어도, 아란을 잡고 싶어도 아란을 존중한다. 아란이 마음을 열어주기까지 기다리고 기다렸다. 아란이 어려서 그럴 수 있으니까 아란이 성인이 되면 자신에게 이야기 해주지 않을까 기다렸다. 아란에게 부담이 될까 봐서 하고 싶은 말들을 꾹꾹 참아 소심스럽지만 사려 깊은 작은 일상들만 물었다. 아란은 답이 없었다. 남자는 고민했다. 어떻게 해야 할까. 다가가고 싶은데, 아란은 상처가 너무도 많아 보여서 자신이 다가갔다가 무서울까 봐 남자는 걱정이 됐다. 남자의 매일에는 아란이 있었고, 아란의 매일에도 남자가 있었지만 두 사람은 각기 다른 이유로 서로에게 다가가지 못하는 답답한 거리를 유지한 채 시간을 떠내려 보내고 있다.

속절없이 떠내려가는 시간 속에 아란은 거울에 비친 자

신의 몰골을 본다. 모습인데 아란의 눈에는 자신의 모습 대신 몰골로 보인다. 얼굴이 삐뚤어져 있었을 때보다 더 아란은 자신이 삐뚤어 보인다. 아무리 고개를 움직이고 몸을 움직여도 자신은 잘못되어 보인다. 자신을 찾는 끈적이는 눈과 손이 없으면 생을 이어갈 수 없는 자신의 모습에 속상하면서도 이렇게밖에 사는 방법을 알려주지 않는 어른들에게 분노를 느낀다. 그 분노는 커다래서 무력감을 안겨준다. 아란은 떠내려가듯 죽지 못해 살아간다.

포주는 그런 아란이 안쓰럽다. 자신이 아란의 새아빠와 새오빠에게 아란의 성관계 영상을 사서 팔지 않았더라면 이렇게 한 아이가 망가지지 않았을 텐데. 자신이라도 아란을 품어 주었다면 아란이 이렇게 되지는 않았을 텐데. 소용없는 후회를 한다. 아름답게 자라야 하는 아란을 비참하게 만들어 버린 자신은 비난받아 마땅하다고 포주는 생각한다. 아란에게 다가가 사과하고 안아주며 시간을 떠내려 보내는 대신 함께 보내고 싶지만, 포주는 방법을 모르겠다. 포주 역시 포주가 어렸을 때 어떤 한 명의 어른이라도 다른 방식으로 살 방법을 알려주지 않았기에 포주는 하지 못한다.

포주는 남자에게 전화한다. 아란을 살려달라고. 아란이 점점 빛을 잃어간다고. 울먹이는 죄책감의 울분을 터뜨려 말한다. 절박하게 울부짖는다. 포주의 간절함과 아란을 향한 남자의 사랑은 남자가 아란을 찾아 오게 만들었다. 남자는 아란이 일하는 술집에 왔다.

아란은 남자를 본다. 남자와 눈이 마주친다. 아란은 숨어버린다. 남자는 잡고 싶어 손을 뻗어 보지만 아란은 너무 빠르게 숨어 버렸다. 숨어서 나올 생각을 하지 않는다. 문 하나만 열면 아란과 닿을 수 있는데 아란은 문고리를 잡고 놓아주지 않는다. 등을 맞대고 서로에게 의지하던 남자와 아란은 지금, 문 하나를 두고 서로 대치하고 있다. 정확히는 아란이 대치하고 있다. 아란은 등을 보이고 남자는 아란의 등을 보는 형국이다. 남자는 문을 힘으로 당겨서라도 아란을 꺼내 안고 싶다. 남자는 고민한다. 그래도 될까. 아란이 놀라지 않을까. 망설인다. 남자는 망설임 끝에 문을 확 하고 잡아당긴다. 가릴 곳만 겨우 가린 아란이 창피한지 고개를 들어 올리지도 못한 채 바닥을 보고 있다. 남자는 조심스레 자신의 겉옷을 아란의 어깨에 걸쳐 준다.

아란은 자신이 몸을 판다는 사실이 수치스럽기는 해도 창피한 적은 없는데. 창피하더라도 이렇게까지 부끄럽고 숨기고 싶은 적은 없는데. 남자 앞에만 서면 과할 만큼 자신의 현실을 숨기고 싶어진다. 좋아하는 사람에게 자신의 좋은 점, 예쁜 점만 보여주고 싶은 것처럼 아란은 남자에게 자신의 예쁜 모습, 좋은 모습만 보여주고 싶다. 아란도 남자를 좋아한다. 외로워서, 사랑받고 싶은 마음, 결핍에서 생긴 채움을 갈망하는 사랑이 아닌 진짜 사랑을 한다. 아란은 남자를 사랑하고, 남자도 아란을 사랑한다. 아란은 자신의 처참한 몰골이 수치스럽고 불쌍하며 창피하다. 그와 반대로 반듯한 남자의 모습은 자신과 비교된다. 자신 따위가 감히 이 남자를 좋아해도 되는지 죄스럽기까지 하다. 남자는 아란의 떨리는 몸에서 자신과 마주하며 자신을 깎아내리는 아란의 생각을 읽는다. 남자는 아란을 놓아준다. 아란은 뛰어간다. 저 끝 방으로. 남자는 가만히 기다렸지만, 한 시간이고 두 시간이고 기다렸지만, 아란은 모습을 보이지 않았다.

남자는 아란을 저 멀리에서라도 기다릴 것이다. 남자는 아란과의 시간 속 이렇다 할 대화도 추억도 없지만, 없어서 텅 비어 있어서 채울 수 있는 순수함이 감사하기까지 했기에 아란을 기다리고 싶다. 아란과 사랑하며 행복해지고 싶다. 그래서 기다린다. 아무런 조건도 대가도 바라지 않은 채.

운명이라고 말하면 유치할까. 하지만 그런 운명처럼 끌리는 경우도 있다. 첫눈에 반한 건 아니지만 첫눈에 보고도 이 사람은 나를 온전히 받아줄 것 같은 왠인지 모를 기분. 이 사람이면 평생 사랑할 수 있을 것 같은 느낌. 사랑은 얼토당토않은 기분과 느낌에서 시작되어 얼토당토않은 기분과 느낌으로 끝이 난다. 행운도 축복도 그렇다. 별다른 이유 없이 갑자기 행운인지도 축복인지도 모르게 찾아온다. 곁에 머문다. 그것은 찰나의 순간만 머물기도 하며 때로는 지속하기도 한다. 남자는 아란에게 머물며 행운을 행복으로 지속시켜 줄 갑작스러운 축복이었는지도 모른다. 아란도 어렴풋이 느꼈을 것이다. 다만, 아란은 그런 복에 익숙지 않기에 자신은 자신의 전생, 꿈속 남자 B의 말대로 벌을 받아 마땅하고, 유일한 친구였던 한의 말대로 저주받아 마땅한 년이기에 부정한다. 자신의 아름다움을. 자신이 가진 아름다움, 나다움을 부정한 채 부정한 것들에게 휩싸이니 美친 아란은 끝내 미쳐 버린다. 남자가 숨죽여 기다리는 동안 아란은 숨막히도록 미쳐 버린다. 남자의 연락도, 포주의 말도 모두의 말도 다 무시한 채 아란은 철저하게 창녀의 인생을 산다. 아란이 미칠수록 아란의 인기는 치솟고 아란의 돈은 쌓인다.

포주는 아란을 미친년으로 만든 게 자신 같아서 죄책감에 술 없이는 못 하는 중독자가 되었다. 포주는 아란의 인생과 자신의 인생이 너무 똑 닮은 것 같아서 구해주고 싶었지만 이렇게밖에 살아보지 못했기에 아란을 구해주지 못한다. 포주는 자신이 아란에게 손대면 손댈수록 자신처럼 되는 것 같아서 속이 상하고, 자신이 차라리 아란에게 없는 존재인 게 낫지 않을까 생각한다. 생각 한번, 술 한번. 포주의 술잔은 쉴 틈이 없다. 쉴 틈 없는 와중에 틈을 찾았다. 포주는 아란이 스무 살이 되기 이전처럼 한 남자와만 몸을 섞기를 바란다. 이건 분명한 편애지만, 포주는 아란의 인간적인 면모에 편애하기로 마음 먹는다. 그때로 돌리고 싶어 다시 한번 남자를 찾는다. 아란을 구해 달라고 사정한다. 남자는 거절한다. 남자는 이미 수차례 아란에게 연락했고, 도와주겠다고 말했다. 지금도 말하고 있다. 하지만 아란의 응답은 무응답이다. 아란은 자신이 더럽다며 그쪽과는 어울리지 않는다며 완강한 태도를 보였다. 그 어떤 서사도 없이 다가온 남자가 의아했지만, 그래서 더욱 고마웠던 아란은 짐승들의 손이 안 닿은 곳이 없는 자신의 추악한 몸과 지배된 정신을 남자에게 차마 보여 줄 수 없었다. 아란의 마지막 자존심이었다. 사랑에도 자존심이 필요할까. 잘 모르겠지만 아란은 자신이 가진 게 없다고 여겨 자존심이라도 가지고 싶다. 아란은 자신의 낮은 자존감과 자격지심으로 인해 남자를 계속해서 밀쳐냈던 순간들을 꽤 오래도록 후회하며 미련을 갖고 삶을 견딘다.

아란은 매일을 사는 것인지, 죽음으로 묵묵히 걸어가는 건지 알 수 없을 정도로 의미 없이 살아간다. 삶의 맛도 느끼지 않고, 삶의 온도도 입히지 않은 채 건조하게 산다기보다는 죽음으로 저벅저벅 다가간다.

이제는 그 어떤 행동에도 수치스러움과 징그러움, 혐오감도 들지 않는다. 흉악한 것들이 자신의 아래를 쑤셔도 아프지도 않다. 아란은 웃고는 있지만 웃는 게 아닌 듯 기괴한 표정을 짓는다. 아란에게 스물을 너무도 아프고 쓰라린 나이다.

아란은 집으로 돌아와 씻는다. 하루에도 몇 번씩 쑤셔지는 아란은 자신의 몸을 자신이 만지는 것이 외려 어색하다. 자신의 손은 남의 몸을 탐했고, 자신의 몸은 남이 탐했다. 자신의 손으로 자신의 몸을 씻는 것이 어색하다. 아란은 씻다가 운다. 툭 하고 울음을 터뜨린다. 아란의 울음소리는 소녀의 울음소리다. 아이의 울음소리다. 아이인지 소녀인지 꼬마인지, 아기인지 알 수 없을 정도로 많은 나이의 생명이 우는 여러 가지의 아픔과 고통이 섞여 뒤엉킨 소리다. 아란은 사실 미치지 않았다. 미친 척 한 것이다. 자신이 미친년이 되면 남자가 더 이상 자신을 찾지 않을 거라고 생각해서 미친년이 되기로 한 것이다. 또, 포주가 자신만을 편애하며 다른 창녀들에게 욕을 먹지 않을 테니까. 차라리 미친년이 되고 싶었다. 아란은 여전히 자신보다 남을 생각하는 이타심을 가지고 있으면서도 자신에게는 이기적이라서 자기 하나 챙기지 못하고 있다. 자신이 불쌍해서, 이제 그만 불쌍하고 싶어서 이제라도 챙겨보려고 노력한다. 아란은 조금씩 외출이라도 하려고 한다. 자신의 일상에 창녀 외에 다른 평범함도 넣어보려고 한다.

열두 시를 기준으로 아란은 자신을 바꾼다.

아란은 열두 시부터 새벽 여섯 시까지 여섯 시간을 일한다. 일하기보다는 남자와 몸을 섞는다. 남자라기보다는 짐승과 섞는다. 짐승이라기보다는 괴물과 몸을 섞는다. 괴물이라고 느끼면 자신이 괴물한테 먹히는 것만 같아서 주욱 하고 늘어나는 침이 더욱 지저분하게 자신에 몸에 묻는 것 같지만, 사람도 짐승도 그 무엇도 아닌 것을 무엇이라 부를지 모르겠는 아란은 괴물이라고 그것들을 가리킨다. 그리고 괴물과 자신은 다를 바 없다고 생각한다. 어떤 연유가 되었던 자신은 다른 방도를 찾기보다는 그저 늘 해왔던 익숙한 몸을 팔고 있는 것이니까. 자신도 성을 매매하는 점에서 괴물과 같다고 생각한다. 정말 같은 걸까. 아란은 성을 매매하는 것들에게 길들어 괴물을 흉내내는 인간이 아닐까.

아란과 함께 알몸을 공유한 많은 여인은 저마다의 사연

이 있지만, 저마다의 사연이 전부 이해가 가는 것은 결코 아니다. 어떤 여자의 사연은 기구하다는 말로 밖에 표현하기 어려울 정도로 듣기도 안쓰럽지만, 어떤 여자의 사연은 그저 쉽게 살고 싶은 참 쉽고도 가벼운 마음이다. 아란이라는 여자의 사연은 어떤 것일까. 태어나 버려졌고, 자신을 주워간 곳에서 사랑 대신 폭력을 받고, 또 한번, 자신을 가져간 곳에서 사랑 대신 폭력과 성폭력을 받았다. 아란은 그들을 죽였고, 아란은 그곳을 탈출했다. 탈출해서 다시 그곳과 그들 같은 것들이 그득 되는 곳에 있다. 아란은 자신의 인생을 자신이 일구는 것임을 모른다. 그저 꿈속 남자, 자신의 전생 B의 말대로 누군가로 인한 잘못된 운명이라고 생각한다. 자신의 숙명으로 받아들인다.

태어날 때부터 정해진 운명이란 말은 얼마나 사람을 무력하게 만드는가. 아란은 무력감이 드는 단어와 문장을 잘 때마다 들었고 대화했다. 그렇게 말한 것도 불태워 자신의 꿈속에서 지웠지만, 기억은 지워지지 않고 아란의 정신에 깊게 잠들어 있어 깨어났다가 잤다가를 반복한다. 무력감을 주는 어두운 기운의 단어와 문장이 잠을 자고 있을 때는 아란은 어찌 보면 자신이 보아도 이상하지 않지만, 눈을 깜빡 잠시 감았다 뜨는 순간 우수수하고 쏟아져 내리는 어두운 기운의 단어와 문장들로 인해 다시 한번 인생은 정해진 것, 숙명, 운명. 그런 그것들로 받아들인다. 아란의 받아드림은 맞을 수도 있지만, 아닐 수도 있다. 이 세상에 바꿀 수 없는 게 정말 단 하나도 없을까. 하나라도 바꾼다면 그 하나가 시작되어 둘이 되고, 셋이 될 수 있지 않을까. 너무 낙천적인 생각인 걸까. 아란은 너무 낙천적이지 못한 게 아닐까. 자신에 인생에는 긍정적 여도 되지 않을까. 부정보다는 긍정을 가깝게 하는 게 빛을 보기에 더 쉽지 않을까. 빛을 보기에 더 빠르지 않을까.

 아란은 빛이 스멀스멀 떠오르는 새벽 여섯 시에 옷을 추스르고 가랑이 사이로 흐르는 괴물의 끕끕한 괴물의 끈적거리는 액체를 집어치우고 집으로 천천히 간다. 집으로 가는 길 아란은 하늘을 보면 뭐 그리 급하다고 성급하게 떠오르는 해를 보는 날이 있다. 해가 뜨며 하루가 시작되는데 자신의 하루는 잠으로 마무리하러 가는 아이러니 속 아란은 자신이 세상과 거꾸로 가고 있다고 느낀다. 열아홉과 스물 사이의 무렵 그랬듯이 세상이 자신을 등졌다고 생각하면서도, 자신이 세상을 등진 것이라고 속삭이듯 말한다. 그렇게 아란은 집에서 물로 아래를 미친 듯이 쑤시듯이 아주 깊숙이 씻는다. 씻어도 씻어도 없어지지 않는 더러움을 씻는다. 아란이 씻어도 없어지지 않는다고 느끼는 건 아란은 더럽지 않기 때문이다. 아란은 자신의 순결이 괴물들에게 먹혔다며 사람들이 그렇게 의미를 부여하는 첫 경험을 빼앗겼다고 슬퍼하지만 빼앗기지 않았다. 사랑 없이 몸만을 탐한 것이 과연 첫 경험일까. 아란의 동의 없이 이루어진 것이 사람들이 그토록 의미를 부여하는 첫 경험, 처음에 부합할까. 당사자의 동의 없이 이루어진 것을 숫자로 세어도 되는 걸까. 아란은 한참을 씻고 나와 자신을 유일하게 탐하지 않던 남자가 없는 자신의 침대로가 쓸쓸하게 눕는다. 해는 어느새 더 둥 하고 떠올라 있다. 아란은 한 남자를 그리워하며 보고파 하며 남자 대신 두꺼운 이불을 꼬옥 안고 잠을 청한다.

열두 시에 아란은 눈을 뜬다.

아란은 자신이 남자와 가까워지기에는 한없이 모자란 사람이라고 생각하면서도 너무도 간절히 남자와 가까워지고 싶어서 남자가 알려준 남자의 집 근처를 향한다. 멀뚱히 서 있는다. 남자는 자신의 집 주소를 알려주며 무슨 일이 있거든 이곳으로 당장 와도 된다고 말했다. 언제든지 상관없다고. 아란은 무슨 일이 생기면 언제든지 자신을 도와줄 든든한 사람이 있는 복 받은 사람인 걸까. 삶이 죽음에 닿기까지 단 한 명도 그런 사람이 없는 사람도 있을 텐데. 아란은 고작 스물에 적은 나이를 하고 있는데 자신의 편인 사람이 있다. 아란이 이 사람 하나로 복 받은 사람이라고 하기에는 아란이 겪은 일들에는 복이 없었기에 찰나의 운만 존재했기에 복 받은 사람이라고 말하기엔 어려운 듯하다. 그래도 적어도 아란은 복이 있는 사람이다. 이런 조건 없는 대가 없는 사랑을 항상 누군가가 준다는 사실은 누군가에게는 없는 사실이다. 아란이 자신의 꿈에서 나온 전생, B가 유일하게 사랑했던 여자를 부러워한 것처럼 아란도 누군가에게는 부러운 존재일 것이다. 부러움은 부러움을 낳고, 부러움은 질투를 낳고, 질투는 질투를 낳고, 질투는 시기를 낳고, 시기는 시기를 낳는다. 끊임없이 이어지는 뫼비우스 띠 한가운데 아란은 불안하게 서 있다. 남자의 집 앞에서 한참을 멀뚱거리며 서 있듯이 아란은 부러움과 질투, 시기의 띠에서 자신과는 다른 평범한 스물들을 부러워하며 질투하며 시기하며 서 있다.

멀뚱히 있다가 문소리가 들리자 아란은 후다닥 도망가듯 숨는다. 남자를 보고 싶어서 온 거면서도 남자를 볼 수 있음에도 보지 않는 아란의 마음은 무엇일까. 짝사랑이라기에는 남자도 아란도 서로를 사랑하는데 왜 짝사랑처럼 쫓기만 할까.

아란은 우연한 만남이면 그나마 자신의 초라한 사랑을 숨길 수 있지 않을까 생각했는지 남자의 집 근처 카페에 들어간다. 사랑은 무엇이든 두렵지 않게 만드는 위대한 마법의 물약이면서도, 자신을 사랑하는 상대와 비교하며 초라하게 만드는 위험한 마법의 물약이기도 하다. 아란에게 물약은 위험한 마법으로 작용했는지 아란은 남자의 호감이 느껴진 순간부터, 자신도 호감을 느끼기 시작한 순간부터 꾸준하게 남자와 자신을 비교하며 자신을 초라하다고 여긴다. 그래도 사랑해서 가까이 있고 싶어서 초라함을 숨긴 채 가장 아끼는 옷과 신발을 신고 남자의 집 근처 카페에 들어간다.

차분한 우드톤의 카페는 높은 천정이라서 시원한 개방감마저 느껴진다. 이 층도 있고 테라스도 있다. 아란은 일층 구석에 자리가 빈 것을 보아 그곳에 자신의 가방을 두러 걸어간다. 시선을 잡는 한 여자의 얼굴. 열여덟 꿈속에서 본 아란이 지독하도록 깊은 부러움과 질투, 시기를 느낀 여자의 얼굴을 닮았다. 아란은 분명 그런 여자를 보면 얼굴을 뜯어버리겠다고 했는데, 그런 생각이 조금도 들지 않는다. 분명 그 여자로 인해 자신의 전생이 꼬여 지금 자신이 업보를 받고 있는 건데 그냥 티 없이 맑은 얼굴, 그늘 하나 스치지 않는 밝고, 순수한 결핍이라고는 찾을 수 없는 얼굴이 부러울 뿐이다. 아란은 자신이 그 여자의 얼굴을 닮고 싶어서 돈을 벌려고 했고, 그러다 몰래 자신의 나체가 찍히고 불법으로 팔린 일들을 까맣게 잊은 걸까. 아란은 그저 그 여자의 삶을 자신의 삶과 바꾸고 싶을 뿐이다. 왜 자신은 저러지 못할까 자기 자신이 싫을 뿐이다. 아란의 가슴속에 타오르던 불로 만들어진 꽃의 욕망은 언제 녹은 걸까. 자신을 배신했지만 진심으로 사과하는 포주의 사과 덕분인 걸까. 그 덕이라고 하기에는 너무 사소하지 않나. 사과는 사소함이 없나. 일주일에 한 번 남자와 보낸 편한 시간 덕분일까. 그를 통해 서서히 온도가 내려간 걸까. 아란의 뜨겁게 타오르던 복수와 죽이고 싶은 살인에 대한 열망은 온데간데없다. 하지만, 언제 다시 생길지 모른다. 안정을 배우고 찾고, 필요할 시기에 극도로 불안했던 아란은 호의도 받지 못하고, 사랑도 외면하기에 언제 또다시 불안하기 짝이 없는 휘청이는 컴컴한 불의 꽃을 피울지 모른다. 아란의 마음은 제멋대로라서 예측이 불가하다. 봄에 내리는 눈처럼, 가을에 내리는 폭우처럼 아란은 예보할 수 없는 사람이다.

아란이 너무 빤히 쳐다본 탓일까. 노트북으로 무언가를

쓰던 여자도 아란을 본다. 아란을 보며 싱긋 웃어주는 여유를 가진 이 여자의 이름은 '이루다'다. 아란은 루다의 여유에 당황한다. 어찌할 줄 모른다. 서둘러 시선을 거두고 발걸음도 빠르게 걷는다. 또각또각에서 또각또각또각으로 발의 빠르기를 바꾸고 구석에 자신의 가방을 둔다. 아란은 음료를 주문하려고 일어난다. 루다는 잠시 자리를 비웠다. 아란의 눈에 루다의 노트북이 보인다. 책을 쓰는 듯해 보인다. 시놉시스가 보인다. 슬쩍 읽어본다.

열여덟 살로 시작하는 루다의 소설은 아란의 열여덟과 똑같다. 아란은 소름이 끼친다. '이건 뭐지?'라는 생각을 한다. 당황을 넘어 당혹스럽다. 자신의 인생을 훔쳐본 듯 쓰인 이 글들은 뭘까. 아란은 얼굴이 창백해지고 손끝이 저려온다. 저림 속에서 아란은 다시 한번 혼동을 만난다. 꿈속 남자의 말이 떠오른다. 자신이 품었던 어이없던 복수심과 저열한 욕망의 꽃이 불을 피운다.

아란의 불꽃은 개화했다.

아란은 자신의 인생이 이딴 식인 게 자신의 탓임을 인정할 수 없었기에 남을 탓하고 싶었다. 아란의 탓이 아닌 게 맞으면서도 완전히 맞는다고는 할 수 없지만, 아란은 완전히 남을 탓하고 싶다. 아란은 분명 벗어날 기회가 있었다. 얄궂은 자존심 때문에 기회를 외면하거나 무시하지만 않았어도 아란의 인생은 지금보다는 확실히 나았을 것이다. 아란이 느끼기에도 그 누가 느끼기에도. 아란의 불꽃은 루다를 향한다. 루다의 글이 자신과 같다는 그 이유 하나만으로 아란은 루다를 저주한다. 죽여버리고 싶다고 생각한다. 구김 하나 없는 어여쁜 얼굴을 쥐어뜯어 버리겠다고 생각한다. 아란은 알 수 없는 소용돌이에 휘말렸다. 분명 아란은 누군가를 짝사랑하는 수줍은 소녀의 망설임을 닮은 꽃 한 송이 같았는데 지금은 활활 타오르는 불 구덩이에 피어난 꽃 같다. 그런데도 아름다워서 아란은 개화한 것이다.

아란은 이 여자가 자신의 인생을 다 알고 조종 하는 게 아니라면 이렇게 자신의 인생을 그대로 빼다가 박아 쓰는 것은 불가능하다고 생각한다. 자신의 꿈도, 자신의 전생도, 자신이 저지른 방화도, 자신이 당한 짓도 모조리 다 적혀있다. 아주 상세하게. 루다가 자리로 돌아와 자리에 앉지 못한지도 꽤 되었는데 아란은 아예 루다의 자리를 차지해 자리를 잡고 앉아 루다의 글을 읽고 있다. 딱딱 손톱을 물어뜯으며 어깨는 잔뜩 웅크린 채 글을 읽는 아란의 모습은 게임에 중독된 폐인의 모습을 닮았다. 게임에 중독되어 세상을 등진 채 살아가다가 세상으로 나갔을 때 느끼는 괴리감 속 수치심. 아란은 지금 몹시 수치스럽다. 자신을 낱낱이 들추는 이 글들의 모든 글자가 자신의 몸에 벌레처럼 꿈틀거리는 것만 같다. 아란은 오늘 처음 봤지만 익숙한 얼굴을 한 이 여자가 자신의 모든 것을 안다는 것이 수치스럽다. 고통스럽다. 숨기고 싶었는데, 잊고 싶었는데. 한만 아니면 이 모든 사실을 아는 사람은 없는데 왜 또 자신의 인생을 아는 사람이 있는 건지. 아란은 괴롭다. 괴로움에 입술을 꽉 하고 깨문다. 비릿한 맛이 아란의 하얀 치아에 묻는다. 루다는 놀란다. 휴지를 준다.
"피나요."
루다의 음성은 따스하며 향기롭다. 아란은 더 비참하다. 비참해서 고개조차 들지 못한 채 자신을 내려다보는 루다의 눈망울 속 눈동자만 올려 본다. 아란의 자세는 고개는 루다의 노트북, 엉덩이는 루다가 앉아있던 의자, 허리는 굽고, 어깨는 노트북에 닿을 듯했으며, 구두는 발에 반만 걸쳐져 있어서 달달달달 떨리고, 눈동자만 루다를 향한 이상한 자세다. 거북이 마냥 죽 나온 아란의 목은 꼿꼿하고 바르게 세워진 루다의 목과 비교가 되어 아란은 더욱 비굴하게 만든다. 비참함을 넘어 비굴해진 아란은 헤헤거리며 루다에게 고맙다고 말한다. 루다를 죽이겠다면서 헤헤거리며 웃는 알 수 없는 루다의 행동은 어떤 것을 의미하는 걸까. 아무런 의미 없이 그냥 비어 버린 걸까.

아란은 여전히 루다를 죽이고 싶다. 방법을 달리한다. 친해지려고 한다. 루다가 부러워서, 한순간에 봐도 빛이 나는 루다의 모든 것이 탐이 나서, 또 어떻게 자신의 인생을 이렇게 잘 아는지, 자신의 인생은 앞으로 어떻게 되는지 알고 싶어서 아란은 루다하고 가까워지리라 다짐한다. 다짐의 끝에는 살인을 걸어둔다. 대롱대롱. 이랬다저랬다 하는 아란의 헤롱헤롱하는 정신처럼 언제든 할 수 있으면서도 떨어질 수 있도록 대충 걸어둔다. 루다는 그저 책을 쓰는 건데 아란은 그렇게 착각한다. 루다의 손끝으로 써지는 글자들의 모임에 자신의 인생을 건다.

"글이 너무 좋아서요. 죄송해요. 제가 자리까지 빼앗고. 죄송해요."
자세를 바르게 고쳐 앉은 아란의 음성은 친절하며 이지적이다. 아란의 듣기 좋은 저음이 마음에 들었는지, 자신의 글에 대한 칭찬이 좋았는지 루다는 웃어 보인다.
"제 글 좋게 봐주셔서 감사해요. 영광이에요. 이렇게 몰입해서까지 읽어주시다니. 그런데 아직 출간하지 않아서요. 더 읽으시는 건 안 될 것 같아요. 죄송해요."
"아, 그렇죠? 제가 너무 무례했어요. 죄송해요."
"아. 아니에요. 전혀 아니에요. 오히려 감사한걸요. 책 읽는 거 좋아하시나 봐요?"
"음.. 사실 책 별로 안 읽어 봤어요. 그런데 이 글은 너무 좋네요."
"정말요? 혹시 혼자 오셨으면 저랑 같이 차 한잔하실래요?"

너무도 쉽게 흘러가는 대화. 너무도 쉽게 마음을 여는 듯한 루다. 루다의 순수한 맑음에 아란은 그 어떤 의심도 하지 않는다. 의심할 거리가 없어서 일수도 있다. 쉽게 친해지고 가까워진다. 남자가 아란에게 빠르게 관심을 갖고, 호감을 느끼고, 좋아하고, 사랑한 것처럼, 남자가 아란에게 쉽게 끌린 것처럼, 루다도 아란이 끌리는 걸까. 알 수 없다. 서로에 대해 더 알고 싶어 대화를 이어가고 싶은 루다와 아란은 자리를 정리하고 난 후, 다른 카페로 향한다.

아란과 루다는 어색한 걸음을 함께 하며 정적이 불편한지 끊임없이 질문하며 대답한다. 가장 기본적인 이름을 먼저 묻는다.
"이름이 어떻게 되세요? 저는 이루다입니다."
눈이 사라질 정도로 눈에 웃음을 짓고, 입이 귀에 걸릴 만큼 시원하게 웃는 루다의 얼굴을 보니 아란은 자신의 이름마저 부끄럽다. 이름마저 이쁜 루다의 이름과 달리 자신의 이름은 보잘것없이 느껴진다.
"저는 김아란이에요."
루다는 속으로 생각한다. '이름도 이쁘다.' 루다와 아란은 서로가 서로를 아름답게 바라본다. 자신이 루다를 보는 것처럼 루다가 자신을 바라보고 있는지에 대해 알 리 없는 아란은 자신을 꾸며서 대답한다. 자신이 몸을 파는 술집 여자인 것을 들키고 싶지 않기에 거짓으로 답한다. 거짓으로 답하면서도 루다가 다 알고 있을 것 같아서 거짓말을 하는 내내 불안하다. 자신을 숨겨야 한다는 사실과 스스로가 자신을 창피하게 여긴다는 사실이 사무치도록 또다시 한번 창피함을 안겨준다. 루다가 불편한 아란과 달리, 아란이 편한 듯 아무렇지 않게 말을 하는 루다. 루다의 여유에서 아란은 열등감을 느낀다. 자신이 가지지 못한 것을 너무도 쉽게 가진 루다의 여유로운 모습은 자신을 동정하는 것처럼 까지도 느껴진다. 자신의 인생이 불쌍해서 잘해주는 건가, 이렇게 갑자기 호의적인 걸까. 아란은 루다가 싫다. 루다는 어떨까. 루다는 아란을 싫어해 보이진 않는다. 아란에게 기운 몸과 아란을 보며 생글거리는 미소. 루다는 정말 그냥 순수하게 자신의 글을 칭찬 해준 게 좋은 걸까. 너무 맑아서, 사람에 대한 거부감이 없어서 의심스러운 루다는 아란에게 한 같은 사람일까, 포주 같은 사람일까, 남자 같은 사람일까, 아니면 그냥 루다 같은 사람일까.

신호를 기다리며 나란히 서 있는 아란과 루다. 자신의 눈을 바라보며 눈을 맞추며 말하는 루다의 빛나는 큰 검은 동자를 아란도 봐준다. 루다는 싱긋 웃어 보인다. 아란도 따라 웃어 보려고 하지만 고무로 입을 만든 것처럼 입꼬리가 올라가지 않는다. 루다는 저곳이 좋겠다며 저기로 들어가자고 한다. 아란은 알겠다고 한다. 어차피 마땅히 할 것도 없었기에 나쁘지 않다고 생각한다. 어차피 루다와 친해져 자신의 인생을 어떻게 아는지 정말 조종당하고 있는 것인지 궁금하기 때문에 어떠한들 상관없다. 자신의 인생이 생판 처음 보는 사람에게 조종당한다는 상상은 생각이라고 하기에도 말이 안 되고 상상이라고 하기에도 터무니없어서 망상이지만 아란은 모른다. 그렇게 믿으면 자신의 탓은 없어져 후련해질 수 있어서 탓을 하는 듯해 보인다. 아란은 알면서도 모른 척, 모르면서도 아는 척 군다. 그래서 진짜 자신이 무엇을 아는지, 모르는지 모른다.

아란은 자신이 여기를 어떻게 왔는지 모르겠다. 그저 루다의 환한 미소를 따라 도착했다. 정신을 차려보니 카페가 아닌, 레스토랑이었다. 루다는 순진한 미소를 지으며 말한다.
"아, 원래 카페에 가서 얘기하고 싶었는데 갑자기 배가 고파서요."
루다의 생뚱맞은 배고픔에 살짝 어이가 없는 아란이지만 웃어 보인다.
"브런치 좋아하시죠? 여기 파스타도 맛있는데 낮에는 브런치 메뉴도 판매하고 있어요. 여기 에그 베네딕트가 진짜 맛있거든요."
"에그 베네딕트."
작은 소리로 읊조리는 아란의 음성. 아란은 남자와 함께 호텔에서 먹었던 음식이 에그 베네딕트임을 떠올린다. 아란은 눈시울이 붉어진다. 아직 해가 질 시간이 아닌데 빠르게 져버리는 밤의 재촉처럼 당황스러울 만큼 아란은 눈이 빠르게 붉어진다. 루다는 아란의 빨게진 눈을 보았지만 모른 척한다. 누군가의 슬픔을 아는 척하며 위로해주며 공감해주는 것도 좋지만, 때로는 모른척해 주는 것이 가장 큰 배려임을 루다는 알고 있다. 아란은 눈물이 다 들어갈 때까지 허공을 응시한다. 루다는 남자가 그랬듯이 아란의 템포에 맞춰준다. 제멋대로 들어온 레스토랑에서 아란을 존중해주는 루다. 아란은 루다의 조용한 배려에 고마움을 느낀다.
"에그 베네딕트 좋아하시나 봐요? 저도 좋아하는데. 그럼, 아란님은 에그 베네딕트 드실래요? 저는 음.. 뭐 먹지? 시그니처 메뉴를 먹을까 봐요. 아니다 그냥 빅브런치를 먹을까?"

아란이 아무런 대답을 하지 않아도 조잘조잘 떠드는 루다의 소리는 카나리아의 지저귐처럼 노란빛, 파란빛, 핑크빛과 같은 파스텔의 무지개를 그린다. 아란은 다시 또 위축된다. 루다의 빛남에 루다의 때 묻지 않음에 자신이 초라해진다. 초라한 자신을 그만 느끼고 싶은 아란은 속이 안 좋다고 말한다.

“아, 저 너무 죄송한데 속이 안 좋아서요. 다음에 봐도 될까요?”

꼿꼿하고 바른 자세로 앉아 메뉴판을 보며 메뉴를 고르던 루다는 당황 대신 걱정을 한다.

“헉, 많이 아파요? 근데 여기 에그 베네딕트 진짜 맛있는데.. 포장해드릴게요. 잠시만요.”

웨이터와 살짝 눈을 맞추며 웃음을 짓는 루다. 웨이터는 자신이 안내해준 루다와 아란의 자리로 온다. 루다는 에그 베네딕트 하나를 포장해 달라고 말한다.

“더 이야기하고 싶었는데 아쉽네요. 제 번호 알려드릴게요. 다음에 심심하거나 하면 연락 주세요. 아, 어디 사세요? 몸 많이 안 좋으시면 택시 불러드릴게요.”

아란은 자신이 루다를 너무도 부러워한다는 사실이 어쩌면 창피한 사실이 아니라 자연스러운 것일지도 모른다고 생각한다. 배려가 몸에 밴 루다의 말과 행동을 보고 어떤 사람이 루다를 싫어할 수 있을까 생각한다. 아란은 다시 움츠러든다. 왜 자신은 저런 여유가 없을까 자책한다. 자책을 거듭하면 거듭할수록 루다이 얼굴을 탐해 뜯어버리고 싶어 했던 자신의 추악한 욕망과 자신의 인생을 전부 루다의 탓으로 돌린 한심함에 치가 떨린다. 아란은 멍하다. 자신이 싫어서, 자신이 한심해서 멍하다. 그래도 루다의 말에는 답을 해주고 싶다. 핸드폰을 건넨다.
“여기에 번호 찍어주세요.”
화색을 띄우는 루다. 헤헤 웃으며 자신의 번호를 찍고, 전화를 건다.
“번호 저장했어요! 택시 곧 온다네요. 제가 택시까지 태워드릴게요. 그래도 되죠?”
자신의 부탁에 대한 답이 거절일 것이라는 생각은 염두에 두지 않는 루다의 확신 있는 ‘되죠?’가 부러운 아란이다. 루다는 아란의 손에 에그 베네딕트까지 쥐여 준다. 아란은 분명 아프지 않았는데 정말 아파지는 것 같다. 자신보다 나이가 많아 보이는 이 여자는 겨우 스무 살인 자신보다 맑다. 그 맑음에 아란은 자신을 묻힐 수 없다고 생각한다. 자신이 루다에게 다가가도 되는지 모르겠다. 아란은 달리는 택시 안에 머리를 톡 하고 기대어 택시의 진동에 몸을 맡긴다. 곧게 뻗은 도로를 따라가는 택시의 길에 동의하는 듯 고개가 절로 끄덕여지는 아란이다. 아란은 자신의 휘청이는 정신과 휘영청 휘인 삶과 다른 택시에서 알 수 없는 기이함을 느낀다. 기이함의 이유는 자신은 택시의 곧은 길과는 이제 절대 함께할 수 없음을 직감했기 때문이다. 끔찍한 직감이었다.

집으로 돌아온 아란의 신발은 여기저기 흩어져 있고, 옷은 뱀이 허물을 벗어 놓은 듯 흔적을 남긴 채 바닥에 주르륵 쏟아져 내려 있다. 아란의 얼굴에는 화장이 그대로 있고, 발에는 구두를 신어 난 자국이 빨갛게 있다. 침대에 널브러진 아란은 택시가 시야에서 사라질 때까지 손을 흔들어 주던 루다의 SNS 사진을 본다.
"이쁘다."
아란은 부러움에 더 루다의 사진을 보지 않는다.

집으로 돌아온 루다는 신발을 가지런히 벗고, 옷은 스타일러에 넣어 먼지를 제거한다. 곧장 화장실로 향해 세안하고 화장품 전용 냉장고에 들어있는 보습크림과 미스트를 뿌려 수분을 머금은 촉촉한 피부를 완성한다. 잘 가꿔진 정원이 보이는 루다의 집, 거실 소파에 앉아 루다는 여유롭게 차 한잔을 마시며 아란의 SNS를 본다. 아란의 사진은 대부분이 아닌 다 한이 찍어준 것이다. 루다는 이 사실을 아는 걸까. 팍하고 인상을 한 순간에 다 구겨 버린다. 눈썹 사이에는 두 개의 주름이 생겨 루다의 판판한 피부에 주름을 만든다. 루다는 전화를 받는다. 다짜고짜 루다는 그만하라고 말한다. 루다의 따스하고 향긋한 음성 대신 깊고 낮은 목소리로 화를 누르며 침착하게 말한다.
"그만 하세요."
"싫은데? 내가 왜?"
상대의 뻔뻔함이 가증스러운 루다는 핸드폰을 부숴버릴 듯이 꽉하고 쥔다. 부엌으로 성큼성큼 걸어가 와인 셀러를 열어 와인을 잔에도 따르지 않은 채 벌컥 들이킨다. 와인의 붉은 빛이 루다의 입술 아래 묻는다. 사람의 피 같다. 루다는 입술 아래 묻은 와인도 힘을 주어 스읍하고 빨아드린다.
"미친 새끼."

루다는 전화를 일방적으로 끊는다. 다시 아란의 사진을 본다. 핸드폰을 소중하게 쓰다듬는다. 입술을 잘근잘근 씹는다. 한 손에는 무거운 레드와인 병이 들려있는 루다는 당장이라도 전화를 한 상대의 머리를 그 병을 치고 싶다.

루다의 분노와는 달리 편하게 잠에 든 아란. 아란은 부스스하고 일어나 루다가 준 여전히 따듯한 에그 베네딕트를 먹으려 한다. 포크로 톡 하고 계란을 건드리기 전, 아란은 "아!" 한다. 핸드폰을 꺼내 사진을 찍는다. 이쁘게 찍고 싶은지 여러장을 찍는다. 사진의 노출과 채도를 높여 화사하게 만든다. 자신이 본 가장 화사한 여자, 루다에게 보낸다. "고마워요. 잘 먹겠습니다." 루다는 아란이 보낸 메시지를 바로 본다. 분노가 언제 있었냐는 듯 사그라든 표정의 루다는 와인을 다시 와인 셀러에 넣고, 소파에 가 앉는다. 소파의 팔 부분에 목을 걸치고, 긴 머리는 소파의 아래를 향하게 두어 바닥에 닿을 듯 하다. 가느다랗고 하얀 다리 한쪽은 반으로 접고 한쪽은 접은 다리 위에 올려 동동 움직이며 답장을 보낸다. "다음에는 같이 먹어요!!"
루다의 답을 바로 보는 아란. 루다와 아란은 마땅히 연락할 사람이 없는 것인지 서로의 연락을 바로 본다. 바로 답한다. 끊임없이 이어지는 시시콜콜한 대화들. 아란은 음식을 먹으면 배고픔이 사라진 것처럼 루다와 대화하며 외로움이 사라진 듯 든든하다.

아란은 루다를 죽여버리겠다던 결심과 루다가 자신의 인생을 낱낱이 어떻게 아는지에 대한 불쾌한 궁금증을 잊은 듯해 보인다. 아란은 어느새 루다의 연락이 편하다. 한 가지 불편한건 일이라고 하기에 뭐한, 몸을 팔러 가는 창녀인 자신의 거짓말이다. 12시가 다 되어 갈 때쯤 아란은 루다에게 잔다고 말한다. 그러고는 몇 겹이 되는 화장과 번지점프라도 가능해 보이는 높은 구두와 몸에 꽉 붙어 앉아있기도 불편한 옷을 입는다. 그런 옷을 입고 앉을 때면 자신의 아래 속옷이 다 보인다. 루다에게 잔다는 거짓말을 한 후 자신이 이런 짓을 하고 있다는 사실이 괴물들이 손에 이리저리 흩어진 자신의 옷과 짐승들의 침으로 번져버린 화장처럼 형편없다. 형편없는 몰골만큼이나 형편없는 시간을 보낸 아란은 집으로 터벅터벅 간다. 하늘을 한 번 올려다본다. 우중충하다. 루다를 만난 날은 날이 맑았는데. 루다를 만나지 않는 날은 우중충하다. 아란은 한과 달리 자신에게 무언가를 바라지 않는 루다가 진짜 친구가 아닐까 생각한다. 루다는 왜인지 모르게 자신이 창녀임을 알아도 걸레라고 말하지 않을 것 같다. 루다는 왜인지 모르게 자신이 꿈속 남자에 관해 얘기하며 그 사람이 자신의 전생이라고 말해도 정신병자라고 말하지 않을 것 같다. 아란은 서서히 루다에게 빠져든다. 루다라는 사람을 믿는다.

대화다운 대화, 말다운 말을 주고받는 사람이 루다 밖에 없어서일까 아란은 루다를 빠르게 믿고 빠르게 의지한다. 자신을 온전히 드러내기 시작한다. 루다는 자신을 드러내는 듯하면서 아니다. 아란은 그런 루다가 궁금하다. 아란이 겪은 일들은 스무 살이 겪었다기에는 포악하고 추악한 일들이 많지만, 아란은 결국 고작 스무 살이다. 루다에 대한 아란의 첫 번째 궁금증은 남자친구다.

루다와 아란은 연락처를 교환한 뒤 매일 연락했고, 자주 만났다. 거의 매일 만났다. 만나서 이런저런 이야기를 할 때면 아란은 자신이 술집 여자인 것을 말하지 않으면서도 술집에서 있었던 이야기를 배경만 학교로 바꾼 채 꾸며 말했다. 루다는 앞뒤가 안 맞는 아란의 말을 늘 경청했다. 루다의 눈에 술집을 학교로 바꾸어 말하는 아란의 모습은 대학생을 부러워하는 듯해 보였고, 대학생들의 생활이 얼마나 풋풋하고 어리석은지 모르는 것 같아서 순수해 보였다. 순수함을 망치고 싶지 않아 맞장구 쳐줬다. 아란을 귀엽다는 듯이 보는 루다의 시선은 아란을 수다스럽게 만들었다. 아란의 수다스러움 속 묻혀버린 궁금증이 튀어 올랐다.

"아, 근데 언니는 남자친구 없어?"

어느새 아란은 루다를 언니라고 불렀고, 루다에게 아란은 하나밖에 없는 귀한 동생이 되어있었다. 그리고 서로 편하게 격 없이 반말하며 존중 한다.

"응. 남자친구 없어."

없어라는 말 한마디를 내뱉기까지 고작 몇 초였는데 루다의 머릿속에는 온갖 잡념이 스쳐 지나간다. 말할까, 말까 고민하다가 그냥 삼켜버린다. 굳이 다시 생각해서 좋아질 게 없으니 그냥 삼킨다.

"왜?"

"음.. 그러게.. 뭐가 항상 잘 안되더라."

하고 싶은 말도 있었던 일도 많은 루다지만 그저 안된다는 말 하나로 모든 이야기를 일축한다. 루다의 얼굴에 씁쓸하게 비춰오는 그림자에 아란은 더 묻지 않기로 한다. 루다는 내색하지 않으려고 애쓰며 아란에게 묻는다.

"넌 남자친구 있어?"

"내가 무슨. 난 언니처럼 이쁘지도 않은 데 있겠어?"

"아니야, 너 이뻐."

"아니야. 언니가 이쁜 거지. 나는 상하야."

분명 자신이 아름답다고 생각했던 아란이지만 루다와 함께 다닐 때면 사람들의 시선은 모조리 루다에게 향하는 것을 느끼며, 루다와 함께 찍은 사진 속 자신의 커다란 덩치와 단정하지 못한 생김새에 외모에 대한 자격지심이 쌓인 아란은 자신의 외모에 만족하지 못하게 됐다. 이런 아란을 아는지 모르는지 천진하게 묻는 루다.

"그게 뭔데?"

"모른 척하지만 모두의 마음속에 다 있는 외모 등급인 거지. 솔직히 언니도 알잖아. 모른 척하지 마. 나는 겨우 겨우 상에 턱걸이한 상하고, 언니는 상중? 상상? 이잖아. 솔직히 상하를 넘으면 아무런 의미 없는 거 같아. 취향 차이지 뭐."

"아니야. 그렇지 않아. 나는 평범해. 좋게 봐줘서 고마워. 그런데 아란아, 너 정말 이뻐. 얼굴도 마음도."

루다의 입에서 나온 평범하다는 말이 너무 재수 없는 아란은 마음이 입 밖으로 나와버린다.

"재수 없어. 괜히 이쁘다는 말 한 번 더 듣고 싶어서 그런 거야?"

아란은 루다가 너무 편해져 때로는 이렇게 무례하게 말하곤 한다. 그럴 때면 루다는 그저 허허하고 웃고 만다. 공주님 같은 외모와 달리 털털한 루다의 사람 좋은 웃음소리는 아란을 안심하게 만든다. 아란은 다시 말을 이어간다.

"아, 나 사실 좋아하는 사람 있어."

"진짜? 누군데? 나한테 말한 적 있나?"

"음.. 메시지로 몇 번 말하긴 했었는데 좋아한다고는 처음 말하는 거 같아."

"아, 그 남자구나! 역시 그럴 줄 알았어."

그럴 줄 알았다는 말에 아란은 불편한 표정을 짓는다. 루다를 처음 본 날 루다의 노트북에 적혔던 내용이 떠오르며 진짜 자신의 사정을 속속들이 다 아는 건가 하는 불쾌감이 차오른다.

"언니가 어떻게 아는데?"

아란은 루다를 평범하게 대하기도 하고, 진심으로 아끼며 대하기도 하지만, 루다에게 느끼는 열등감과 자격지심은 B를 닮았는지 이따금 뾰족한 말들로 루다를 눈치 보게 만든다. 루다는 눈치를 보면서도 자신의 침착하고 여유로운 템포를 잃지 않는다.

"난 다 알아. 알 수밖에 없거든."

의미심장한 루다의 말에 아란은 루다의 눈치를 살핀다. 아란은 루다처럼 완벽하게 아름답고 찬란하게 빛이 나는 맑은 사람이 자신의 눈치를 살핀다는 것에서 우월감을 종종 느끼곤 했다. 그래서 더 루다에게 날 선 말로 말하는 것도 있었다. 루다가 편해서도 있지만, 루다가 자신의 눈치를 살필 때면 자신이 루다보다 나은 사람이 되는 것 같은 우월감에 취했다. 아란이 사람을 사귀는 방식은 따듯하면서도 뜨겁도록 아프게 잘못됐다.

“어떻게 아는데?”

떨리는 목소리로 묻는 아란과 아무렇지 않게 활짝 웃으며 답하는 루다.

“네가 말해줬잖아! 그 남자에 대해서. 우리가 처음 만난 카페도 그 남자 때문에 간 거라고도 했었잖아.”

“아아. 그렇지? 맞다 맞아.”

어색하게 호응하는 아란. 아란은 매일 남자들과 몸을 뒤섞으며 술을 마시다 보니 숙취에 찌들어 살고, 맨정신과 그렇지 않은 정신이 차지하는 하루의 비율이 거의 같다. 아란은 자신이 한 말을 까먹기도 하며, 자신이 무슨 말을 하고 있는지 잊기도 하며 말의 한 가운데서 점점 자주 길을 잃기도 한다. 아란은 술에 매일 취하고, 숙취에 절여져 자신의 인생을 속이며 말하다 보니 이제는 진실과 거짓이 섞여 혼탁해져 자신의 진심이 저급해지는 것 같다.

아란이 느끼기에 저급한 자신의 진실 중 몇 가지는 루다가 미치도록 탐하는 것이다. 루다는 받아보지 못한 것. 느껴보지 못한 것. 아란은 받았었고, 받고 있고, 느꼈었다. 남자로 인해 받았었고, 받고 있고, 느꼈었다. 또, 포주로 인해 받기도 했다. 루다는 받지 못했다. 완벽하다는 말에 걸맞은 루다는 받은 적이 없다. 이유는 없다. 어쩌다 보니 그랬다. 루다는 자신의 탓이라고 생각한다. 자신이 무언가를 잘못해서 그런 것일 거라고. 남자친구, 여자친구, 가족 모두의 눈치를 살핀다. 아란의 눈치를 살피는 건 아란의 눈치가 보여서라기보다는 루다는 그렇게 살아왔기 때문이다. 루다는 타인을 향한 자신의 배려가 자의인지 사랑받고 싶어서 하는 행위인지 모른다. 그저 이유 없이 조건 없이 아무런 서사 없이 다가와 자신을 사랑해주는 사람이 있기를 꿈꾸며 바란다.

바라고 바라며 매일 꿈에 하루를 보내기 전 루다의 앞에 자신이 어떤 모습으로 나와도 이쁘게 봐주는 아란이 나타났다. 자신에게 가끔 모진 말을 하고, 듣고 싶은 말만 듣는 맹한 구석이 있는 아란이지만, 루다는 자신의 편한 모습마저 이쁘게 봐주어 고마웠다.

루다를 스쳐 간 남자들은 아란의 전생, B처럼 루다의 외모만을 탐했다. 루다의 재산을 탐했다. 어떤 사람은 심지어 루다의 재산으로 자신의 노후를 설계하기도 했다. 루다가 조금만 편한 옷을 입으면 이게 뭐냐며 같이 다니기 창피하다고 했다. 살랑거리는 치마에 살이 보이면 창녀 같다고 말하면서 변태적인 행위와 옷을 강요했다. 루다의 추억이 가득한 사진을 보고 살과 외모를 지적하거나 루다가 아닌 것 같다며 이렇게 이쁘지 않다며 손가락질 했다. 생리를 하면 데이트를 취소했다. 루다를 트로피, 섹스토이 취급하며 살이 조금이라도 찌면 뭐라고 했다. 루다는 고작 45kg를 겨우 넘기는데. 루다를 스쳐 간 여자들은 어땠을까. 루다가지고 별의별 다양한 소문을 퍼뜨렸다. 루다는 아니 땐 굴뚝에 연기가 난다는 속담을 제일 싫어한다. 아니 땐 굴뚝이 자신이었기에. 루다는 남자와 여자에게 늘 품평 당하고 눈요깃거리와 자극적인 가십거리로 이용당했다. 아란은 루다를 이용하지 않는다. 루다는 이 한 가지만으로도 아란이 너무도 사랑스럽다.

사랑스러운 아란의 이야기를 듣는 것은 대부분 재미있다. 한 가지 재미없는 게 있다면 남자 이야기다. 루다는 아란이 남자 이야기를 할 때면 미친 듯이 부러워 배가 아플 지경이다. 애를 써도 웃음이 나지 않는다. 그 정도로 루다는 아란이 받았던, 지금도 받고 있는 남자의 사랑이 부럽다. 아란이 가끔 남자에게 연락이 또 왔다고 자랑할 때면 부러워서 남자가 아란을 찾지 않기를 바라기도 한다. 루다는 그러면 안 되는데, 아란은 이런저런 사정이 있는 가엾은 아이인데 하면서도, 마음에 크게 자리 잡은 질투로 인해 남자가 아란은 더 좋아하지 않기를 바란다. 자신은 창녀도 아니고, 집이 못 살지도 않고, 성형도 하지 않고, 술에 취해 주정을 부리듯이 말하지도 않는데 조건 없이 사랑해주는 사람이 없는데 왜 아란은 있을까. 아란은 위에서 아래로 내려다보며 자신보다 나은 점을 찾는 루다. 루다는 자신의 이런 모습이 느껴질 때면 자신이 혐오스럽다. 다른 사람들이 자신을 평가한 것처럼 자신이 아란을 평가하는 것 같아서 자신이 싫어진다.

루다와 아란은 서로가 서로를 아름답게 보고, 아끼는 듯해 보이지만, 한 부분에서는 서로가 서로를 갉아먹고 있다. 부러움이 질투가 되고, 질투가 시기가 되어 서로를 은근히 견제한다. 루다는 아란이 남자 이야기를 할 때면 손톱이 긴 마녀가 칠판을 긁는 소리처럼 기괴하게 웃고, 루다가 자신의 일상을 말할 때면 아란은 자신이 그토록 혐오했던 한의 툭 튀어나온 입술의 뚱한 표정, 잔뜩 어그러진 얼굴을 하고 있다.

루다의 기괴한 웃음소리에도 멈추지 않는 아란의 남자와의 이야기. 아란의 추억회상은 끝나지 않는다. 정을 느끼기에 짧지 않은 시간 동안 남자와 등을 맞대고 지냈기에 아란은 봇물이 터진 듯 남자를 자랑하며 자신이 받은 사랑에 대해 으스댄다. 루다는 아란이 자신을 깔보는 듯한 시선을 느껴 자존심이 조금 상한다. 속으로 '감히 창녀 주제에?'라는 생각도 한다. 루다는 자신이 이런 생각을 했다는 사실과 자존심이 상했다는 그 자체가 부끄러워 다시 정신을 가다듬는다. 아란의 말에 귀 기울인다.

아란의 자랑 아닌 자랑의 대장정이 끝나니 저녁을 먹을 시간이다. 루다는 밥을 먹으러 가자고 한다. 아란은 자신이 말하고 싶은 만큼 남자의 이야기를 하고, 루다의 부러운 시선도 느껴서 기분이 좋은지 발랄한 목소리로 "응응!!"거리여 루다를 졸졸졸 쫓아 나간다.

늘 그렇듯 둘은 파인 다이닝에 왔다. 고급스러운 천장과 서울의 한복판이 보이는 창가. 친절한 직원들. 메뉴가 나올때마다 해주는 설명들. 값이 비싼 와인들. 아란은 루다와 다니면 자신도 상류층이 된 것 같아서 괜히 우쭐해진다. 그런 아란의 모습은 루다의 눈에 귀여워 보인다. 루다는 아란이 조건 없는 사랑을 받는 것에 대해 부러워하고 질투하고, 때로는 시기도 하며 견제까지 해도 결국 아란을 좋아한다.

루다가 진심으로 좋아하고 아끼는 아란은 루다가 가 본 수많은 외국과 파인다이닝. 루다가 본 수많은 공연과 전시회의 이야기를 들을 때면 한없이 작아진다. 무슨 말인지 모를 때도 많다. 자신은 이런 말을 모르는데 아무렇지 않게 하는 루다의 모습을 이기적이라고 느끼기도 한다. 무엇보다 루다가 아무리 자신에게 부러움을 느끼고 자신의 눈치를 봐도 없어지지 않는 루다의 맑음이 부럽고, 질투 나고, 시기까지 나며 빼앗아 버리고 싶다.

아란 역시 루다를 좋아하지만, 루다가 아란을 좋아하는 것만큼 좋아하지는 않는다. 아란은 루다에 대한 동경심과 선망, 질투와 시기가 더 크다.

처음에는 눈송이였다. 루다와 놀다 보니 루다의 몸에 밴 겸손한 태도와 품격있는 말들이 아란과 너무도 달라 아란은 자신의 태도와 말들이 쪽팔렸고, 눈송이는 부풀어 올랐다. 눈송이는 눈덩이가 되어 자신을 좀 먹게 했다. 자신을 좀 먹고 있는 루다가 미우면서도 루다만큼 자신의 말을 잘 들어주고 자신의 투정을 잘 받아주는 사람이 없기에 아란은 루다를 감정의 쓰레기통으로 이용한다. 루다는 아란이 자신을 이용하지 않는다는 한 가지만으로 아란을 충분히 많이 좋아하는데 아란도 결국 루다 몰래 루다를 이용하는 것일까. 루다에게 이 정도는 이용도 아닐까. 루다는 아란 정도면 그간 당해온 파렴치한 이용도 아니고 자신을 있는 그대로 봐주며 자신을 물건이 아닌 사람으로 본다고 생각해 괜찮다. 감정의 쓰레기통이 된다는 건 아란이 자신을 그만큼 믿어서지 이용은 아니라고 위로한다. 무엇보다 아란이 자신을 믿고 의지하는 게 느껴진다. 자신을 믿는 아란이 느껴질 때면 루다는 두려움에 사로잡힌다. 그 두려움은 루다와 루다의 핸드폰에 종종 전화를 걸어오는 상대만 알 것이다. 아니다. 상대는 양심도 수치심도 없어서 모를 것이다.

비가 내리기 전 꿉꿉한 날씨지만 집 안에 있어 쾌적한 날처럼 서로가 서로는 질투하며 시기해 찝찝하지만, 함께 있을 때 편한 루다와 아란의 저녁 식사는 이렇다 저렇다 할 것도 없이 얼렁뚱땅 끝났다. 매번 이런 식이었다. 처음에는 아니었지만, 점점 아란은 루다에게 자신의 감정을 쏟아부었고 자신을 과시했으며, 루다에게 눈치를 줬다. 눈치를 보는 루다의 모습을 즐겼다.

아란은 자신의 몸을 팔면 팔수록 점점 더 자신의 감정을 싸게 싸게 남에게 팔았다. 남자에게도, 포주에게도, 루다에게도 강제로 자신의 감정을 판매했다. 남자와 포주와 루다는 가만히 사주었다. 아란은 어리니까. 아란은 상처가 있으니까. 이해해주었다. 아란은 자신의 상처와 나이를 이용해 날이 갈수록 잘 팔리는 자신의 몸처럼 자신의 감정을 팔아댔다. 남자와 포주는 아란의 이런 모습에 종종 지쳤고, 루다는 자주 지쳤다. 루다는 힘이 들기도 했다. 천천히 거리를 둘까 고민을 하지만 그러지 않는다. 루다도 외로운 사람이기에. 루다는 아란이 생각하는 것보다 아란을 많이 위하기에. 루다 뿐만 아니라 아란은 남자와의 관계에서도, 포주와의 관계에서도 늘 자신이 주는 관심과 사랑보다 더 큰 관심과 사랑을 받는다. 아란은 분명 알고 있을 것이다. 그러니까 눈치도 주고 감정도 편하게 쏟아붓는 거겠지.

아란은 새아빠와 새오빠, 한과 멀어진 후로 서서히 자신의 감정을 드러낼 줄 아는 사람이 됐다. 서서히 되었는데 폭발적으로 자신이 표출한다. 아란이 숨겨둔 감정들이 세상 밖으로 다 나와버린 듯하다. 어떻게 보여줘야 할지 준비도 하지 않은 채. 아란의 미비함은 남자에게도 포주에게도 루다에게도 상처를 조금씩 준다.

자신이 창녀라는 사실에 대해 숨김과 거짓으로 꾸미는 자신으로 인해 자신을 잃고, 점점 삐뚤어지는 아란. 술에 취해 남자와 포주, 루다에게 아무렇게나 메시지를 남긴다. 메시지에는 아란의 진심과 술의 진실이 담겨 있었다.

아란의 숨통을 트여주기 위해 올바르지는 않지만 나름 제일 나은 방법을 선택한 남자에게는 이렇게 보냈다.
'나도 그쪽 좋아해요. 그런데 나는 창녀잖아. 그래서 우린 잘 될 수 없어. 나 그쪽 보고 싶은데 나 방금도 다른 남자랑 하고 와서 그쪽이랑은 하기가 싫어. 원래 사랑하면 하고 싶은 거라는데 가까이 있고 싶은 거라는데. 나는 몸이 닿는 게 싫어. 나는 그쪽 안 사랑하는 걸까? 내가 안 사랑해도 그쪽은 나 사랑해줘. 그래야지. 미성년자 데리고 호텔 갔으면. 정말 아무것도 안 했어? 뭐 화장실에 카메라 달아뒀나?'

남자의 선택은 한순간에 의심당했으며, 아란의 이기심이 드러났다. 남자는 큰 충격은 받지 않았다. 다만, 자신이 불법 촬영을 했을 수도 있다는 아란의 생각에 마음이 아팠을 뿐이다.

포주에게는 이렇게 보냈다.
'작작 이용해. 사과하는 거 역겨워. 진심 어린 사과? 야, 말도 안 되는 소리하지 마. 맨날 술에 취해서 다리나 벌리면서 몸이나 파는 더러운 년이 무슨 진심이야. 역겨워. 그래도 고마운 건 고맙긴 해. 그래도 너 싫어. 날 너무 이용했어. 양심 있으면 멈췄어야지. 아, 양심이 없으니까 이런 짓 하는 건가? 천박한 년.'
포주처럼 이랬다가 저랬다가 하는 아란의 메시지를 본 포주는 술에 취해 있었다. 제대로 읽지 못했다. 그래도 천박하다는 말은 눈에 너무도 잘 읽혔다.

루다의 외모가 항상 부럽고, 루다의 인생이 항상 탐이 났던 아란은 루다의 외모와 루다의 진실을 부정이라도 하는 듯 루다에게는 이렇게 보냈다.
'너 이쁜 척 하는 거 보기 힘들어. 내가 너 이쁘다고 해주니까 네가 진짜 이쁜 거 같아? 진짜 그랬으면, 네가 외모로 지적 안 받았겠지. 소문도 네가 그런 행동을 했으니까 어장관리니, 남자에 미친년이니, 돈 많은 남자만 만난다느니 이런 소문 난 거 아니야? 너 이쁜 거 아니야. 이쁜 척이야. 나 다 안다는 듯이 굴지마. 그것도 싫어. 그냥 네가 다 부럽고, 질투 나서 널 죽여버리고 싶어. 진심으

로 너 같은 년을 죽여버리고 싶어. 네가 죽어야만 내가 행복할 것 같아.'

루다에게 정말 사랑스러운 하나뿐인 동생인 아란의 말은 사랑스럽지 못하다. 결국, 아란도 같은 사람이었구나, 상처보다는 실망한다.

아란은 다음날 깨질듯한 머리와 미친 듯이 쑤시는 아래를 잡은 채 자신이 보낸 메시지들을 확인한다. 아무한테도 답이 와있지 않다. 털썩 주저앉는다. 흐느낀다. 자신을 도와주려고 한 사람에게, 자신에게 진심으로 사과한 사람에게, 자신을 믿었던 사람에게 가장 듣기 싫었을 말들을 한 자신을 죽이고 싶다. 아란은 사과할까 생각하지만, 단순히 '미안해'라는 말로는 되지 않을 거 같아서 사과하지 않는다. 남자와 포주와 루다는 아란의 사과를 기다리고 있다. 늘 그렇듯 남자와 포주와 루다는 제멋대로인 아란을 기다려준다. 마치 네 살배기 아이의 변덕을 너그럽게 받아주는 부모처럼. 부모처럼이지 부모가 아니기에 이들도 지치기는 지친다. 지치는 기다림 속에서 아란은 그들의 연락을 기다리며 점점 더 망가진다. 자신이 먼저 연락을 하면 되는데 먼저 하지 않고 기다려 아란은 망가진다. 그들은 기다린다. 망설인다. 먼저 연락할까. 아란을 향해 그들은 다시 용기를 내볼까 생각한다. 망설임과 기다림 속 아란은 무너진다.

아란은 무너졌다.

아란과 말을 하던 루다가 아란의 일상에서 없어지자 아란은 말을 똑바로 하지 못하게 되었다. 아란을 조건 없이 사랑하던 남자가 아란의 일상에서 없어지자 아란은 사람을 계산했다. 아란은 멀쩡한 말을 하지 못하던 열여덟, 열아홉으로 돌아가 삐뚤어지게 누워 루다의 SNS를 염탐한다. 핸드폰의 불빛이 팍하고 꺼진다. 검은 화면으로 된 핸드폰 화면에 비친 자신의 모습은 괴상하다. 방금까진 보던 루다의 얼굴과 너무도 다르다. 아란은 포주에게 뛰어간다. 시간을 달라고 다짜고짜 말한다. 포주는 차갑게 "그래."라고만 답한다. 이유도 뭐도 묻지 않는다. 바빠서 일수도 있고, 늘 그렇듯 술에 취해서 일수도 있다. 아니면, 아란이 천박하다고 말한, 값싼 자신이 아란에게 더러움을 묻힐까 봐 말을 줄인 걸 수도 있다.

시간이 생긴 아란은 병원으로 간다. 루다의 사진을 보여준다. 의사는 이렇게 될 수 없다고 한다. 아란은 무섭게 따진다. 의사는 난감해한다. 아란은 그러면 자신이 가진 눈, 코, 입을 이용해 가장 이쁘게 만들어 달라고 한다. 의사는 알았다고 한다. 아란은 왜 성형을 할까. 자신이 루다만큼 이뻐지면 루다만큼 빛날 수 있어서라고 생각하는 걸까. 루다의 억울한 이야기들은 어디로 들은 걸까. 아란은 밤이면 밤마다 자신을 보고 싶은 대로 보고 이리저리 휘젓는 것들만 상대하다 보니 똑바로 세상을 볼 수 없게 된 걸까. 아란의 마음은 아무도 알지 못한다. 아란이 알지 못하기에 나조차도 알 수 없다. 아란은 그렇게 수술대에 한 번 더 눕는다.

얼굴에 빈틈없이 감아진 붕대에 아란은 끙끙거린다. 첫 번째 수술과 다르게 곁에 있어 주는 포주가 없어 아란은 끙끙거릴 뿐 무엇을 할 수가 없다. 이제야 포주의 소중함을 느끼는 걸까. 포주의 소중함을 느끼기에는 포주가 아란의 영상을 사고판 행동은 저급하지 않나. 아란은 생각하다가 통증에 생각을 멈춰 세운다. 더 이뻐지기만을 바란다. 그러면 자신이 원하는 남자의 사랑은 아니지만, 밤에 오는 것들에게 사랑받을 것이고, 이용해서 더 자신이 잘 나갈 수 있을 것이고, 루다처럼 좋은 식당, 좋은 여행지를 아무렇게나 매일 갈 수 있다고 믿는다.

헛된 믿음 속에서 아무도 찾아오지 않고, 아무도 연락하지 않는 무(無)에 가까운 시간이 흐른다. 아란은 권태롭기까지 하며, 권태로움 속 우울을 느낀다. 자신의 행동을 반성하다가 탓한다. 늘 그래왔듯이 매일 B에게 세뇌당했듯이 탓을 하며 억울해한다. 아란은 정말 억울한 게 맞을까. 억울해도 되는 걸까. 아란이 말하는 지옥 같은 삶 속에서 탈출할 수 있지 않았을까. 아란만이 모르는 진실. 아란은 거짓을 껴안은 채 시간을 죽인다.

다 죽어가는 시간이 살아난다. 아란은 얼굴에 칭칭 두르고 있던 붕대를 푼다. 마음에 안 든다. 붓기 때문일 수도 있지만, 자신의 얼굴이 이전보다 별로인 것 같다. 루다처럼 자연스럽게 이뻐지고 싶은데 자신의 얼굴은 너무 인조적으로 보인다. 의사에게 따진다. 의사는 다시 한번 난감해한다. 아란은 의사에게 자신이 들인 돈이 얼만데 이런 식으로 했냐며 고래고래 따지며 다른 병원을 찾는다. 한 번 더 수술대에 눕는다. 한 번 더 헛된 믿음 속에서 아무도 찾아오지 않고, 아무도 연락하지 않는 무(無)에 가까운 시간을 갖는다.

다 죽어가는 시간은 죽지 않고 한 번 더 살아났다. 아란은 의사에 손이 가지 않은 곳 없이 꼼꼼하게 자신의 얼굴에 칼을 대고 이 정도로 돈을 썼으면 예쁠 수밖에 없을 거라고 확신한다. 백화점 명품관에 들어가 그동안 벌었던 돈들을 탕진하듯 명품들을 다 사들인다. 몸에 휘감는다. 포주가 몸에 걸친 것들처럼 비싸지만 비싸 보이지 않는다. 하지만 아란은 만족한다. 자신도 루다처럼 좋은 옷을 입었기에 루다처럼 고급스러워 보일 것으로 생각한다. 자신은 걸레의 싼 티가 전혀 없다고 생각한다.

돈을 몇천을 들인 비싼 얼굴과 고급스러운 명품을 휘감은 채로 아란은 루다를 처음 만났던 카페로 들어간다. 또각또각 또각. 당당한 구두소리에 아란은 스스로 취한다.

여느 때처럼 화장기 없지만 하얀 피부에 맑은 눈동자를 가진 루다가 보인다. 아란은 루다의 앞에 선다. 루다를 아래로 내려본다. 루다는 아란을 처음 봤을 때처럼 여유로운 미소를 지어 보인다. 아란은 루다의 미소에 어처구니가 없다. '이년, 보기보다 멍청하네? 왜 나를 못 알아보지?' 생각한다. 이 말은 아란이 밤에 자신과 몇 번을 몸을 섞었던 괴물에게서 들었던 말이다. 괴물을 매일 보고, 괴물하고만 말을 하다 보니 아란은 괴물을 닮게 된 것일까. 아란의 생각은 아란이 매일 밤과 새벽 무시당하였을 때처럼 기분을 망가뜨린다.
"언니, 나야. 왜 못 알아봐?"
분명 목소리는 수술하지 않았는데 혀가 꼬이고 콧바람이 세게 들어간 아란의 목소리는 루다에게 낯설다.
"누구세요?"
자신을 안 좋게 소문내고 매도한 사람들 때문일까. 항상 사람을 마주치면 일단 무서운 루다는 단 한 번도 무섭지 않았던 아란이 무섭게 느껴진다.
"나라고. 나 아란."
"어? 아란이야?"
"왜 못 알아봐? 나 아란이잖아. 나 어때?"
"어? 어떠냐니?"
루다는 뭐라고 말해야 할지 알 수 없어서, 되묻는다. 루다가 가진 여유와 맑음은 아란의 어둠에 먹힌 듯 빛을 발휘하지 못하고 있다.
"왜 또 물어. 나 안 본 사이에 멍청해지기라도 한 거야? 아, 언니 나 없으면 친구 없지. 나 아니면 말할 사람 없어서 말하는 방법을 까먹기라도 한 거야?"
"너 왜 그래?"
정색하는 루다의 얼굴에 아란은 잃어버렸던 정신이 돌아오려는 듯 자신의 행동과 말에 대해 생각한다.
'나 진짜 왜 이러지? 분명 언니는 나를 늘 배려했는데. 분명 언니하고 사이좋았는데. 포주도 나를 편애했는데. 남자는 날 항상 아꼈는데. 다 어디로 간 거지? 내가 떠나보낸 건가?'

눈동자가 쉬지 않고 흔들리는 불안해 보이는 아란은 눈동자와 함께 몸도 흔들린다. 머리카락도 흔들린다. 흔들리는 머리카락을 치장이 되어있는 긴 손톱으로 쥐어 잡는다. 손끝에 긴 손톱이 달린 가느다랗고 긴 아란의 손가락은 관절마다 굽혀진 채로 아란의 머리를 쑤신다. 아란은 아픈지 괴로운 비명을 지른다. 본인의 행동이 아픈지, 본인의 모습이 아픈지 아니면 모든 것이 아픈지 아란은 눈물을 후드득 흘리며 카페에서 비명을 지른다. 호흡이 가빠오는 듯 씩씩거린다. 아란의 시선도 아란의 입도 저 바닥을 향해 벌려져 있다. 사람들은 놀란 표정으로 다 아란을 쳐다본다. 아란을 찍는다. 띠링. 핸드폰 촬영음에 놀라는 루다는 아란을 자신의 가디건으로 가려준다. 아란의 어깨를 감싸고 데리고 나간다. 아란은 바들바들 파르르 떨면서 당당한 또각거리는 소리 대신 휘청거리는 달그락하는 구두소리로 루다에게 끌려 나간다.

루다와 아란은 마주 보고 서 있다. 아란은 기괴하게 웃으며 눈물에 녹아내려 번진 화장을 한 채 말한다.
"보고 싶었어."
루다는 뭐라고 말을 해야 할지 모르겠지만 궁금했다. 왜 그랬는지.
"왜 그랬어? 너 정말 나를 그렇게 생각한 거야?"
속으로 쌍꺼풀이 있는 루다의 맑은 눈 안에 그렁그렁 눈물이 맺힌다. 루다의 눈동자 안에 흐리게 비친 자신의 모습에 아란은 화들짝 놀라 짧게 소리를 지른다. 아란의 소리에 루다는 놀라서 눈물도 들어가 버린다. 아란은 입이 얼굴보다 크게 늘어날 정도로 소리 지르다 작게 사과한다.
"미안해."

아란은 사과하며 웃는다. 입꼬리는 올라가 있지만, 눈은 슬프도록 쳐져 있어서 눈을 보면 우는 것 같고 입을 보면 웃는 것 같다. 실성한 사람처럼 울면서 웃는다. 웃음 보다는 비명에 가까운 아란의 웃음소리는 소리를 내는 사람도, 듣는 사람도 고통스럽게 한다.

비춰진 스물

아무것도 쥐지 못하고 태어나, 아무것도 남지 않은 아란은 아무것도 남기지 않고 떠나고 싶은 듯 아무것도 탐하지도 갖지도 않는다. 아란은 아무런 의욕도 욕구도 없다. 그저 시간이 이끄는 대로 자신을 팔고, 자신을 재우고, 자신을 먹이고 할 뿐이다. 아란이 주로 먹는 음식은 술과 함께 나오는 안주들과 괴물들의 액체다. 아란은 맛있어 죽겠다는 표정으로 죽고 싶은 마음을 억누른 채 괴물들의 액체를 꿀꺽 삼킨다. 그럴 때면 아란은 괴물들의 성기를 이빨로 물어뜯어 잘라 버리는 말도 안 돼서 꿈만 꾸는 상상을 한다. 아란은 자신의 말도 안 되는 거짓말에도 속는 척인지는 모르겠지만 늘 잘 들어주던 루다가 그립다. 미안하다는 한마디면 될까. 사과 하나로 없애기에는 루다에게 너무 큰 상처를 준 게 아닐까. 아란은 오늘도 어제를 복사한 듯 똑같이 핸드폰을 만지작거리다 망설임에 묻혀 잠에 든다.

눈에서 뜨면 늘 와있던 남자의 잘 잤냐는 메시지가 그리운 아란이다. 남자의 낮은 목소리에 깊이 배어 들어있는 따스한 온기를 다시 맡고 싶은 아란이다. 잘 잤냐는 말에 오늘은 답을 해보려는 아란이다. 자신 따위가 답을 해도 될까 싶다. 남자도 괴물이 아닐까 의심했는데. 자신을 이렇게 끝까지 못 놓는 남자가 의아하다. 다른 꿍꿍이가 있는 게 아닐까 여전히 의심한다. 남자는 아란의 의심에 때로는 지치기도 하고, 억울하기도 하지만 이해한다. 아란의 상처를 마주한 적은 없지만, 알 수 있었기에 남자는 이해한다. 이해하려고 노력한다. 지칠 것 같지만 지치지 않도록 노력한다. 남자의 사랑은 노력이다. 사랑은 정말 노력인 걸까. 사랑은 자연스러운 감정이 아니었나. 남자는 아란을 이유도 없이 사랑하게 되었지만, 어느 순간 노력하게 되었다. 도무지 열리지 않는 마음에 아란을 향한 올곧은 마음도 서서히 꺾이는 걸까. 남자의 연락 횟수는 줄어든다.

줄어드는 횟수에 안심하면서도 서운한 아란은 고함을 지른다. 침대 옆 전등을 바닥으로 내치면 머리를 격하게 쥐어뜯는다. 잠옷 끈이 어깨 아래로 흘러내려 갈 정도로 아란은 자신의 머리를 다 뽑아 버릴 듯이 마구 뒤흔든다. 흔들려 섞여진 아란의 아름다운 생각과 그렇지 못한 생각들은 아란을 포주보다 더 이랬다저랬다 하게 만든다. 아란은 회까닥 돈 사람처럼 허공을 바라보며 눈에 광기를 띄운다. 아란은 히히 소리를 내며 쇳소리 같은 숨소리를 밖으로 배출하며 웃는다. 어제 들이 부운 술 냄새가 역하게 올라온다. 아란은 자신의 집에 있는 가장 큰 창문 앞에 선다. 뛰어내리고 싶은 듯 창문을 두 손으로 쿵쿵 두들긴다. 창문이 부서지길 바라는 듯 더욱 크게 두들긴다.

아란의 주먹과 손바닥은 빨개진다. 아란의 눈도 빨개진다. 아란은 열여덟과 열아홉의 지옥을 빨갛게 불태워 버렸지만, 여전히 빨갛다. 아란은 어떻게 하면 지옥을 탈출할 수 있을지 생각한다.

계속, 종일 생각한다. 루다를 죽이면 될까. 루다의 원고를 다 지워버리고 책이 나오면 찢어 버리면 될까 생각한다. 루다는 자신의 인생을 다 아니까. 그래서 책에 그대로 썼으니까. 자신의 인생을 조종하는 나쁜 년이니까. 루다는 나빠야만 하는 년이니까. 그래야 아란의 전생 B로 인한 업보도, 자신의 인생도 루다처럼 행복해지니까. 아란은 루다의 인생을 한 번도 제대로 들여다본 적도 없으면서 행복할 것이라고 단정 짓는다. 세상에서 자신이 가장 불행하고 불쌍한 아란은 지독한 자기연민에 빠진다. 모든 것이 자신의 탓이 아니라고 생각하며 부정한다. 생각하고 생각해도 아란의 생각은 모조리 루다의 탓이다. 자신이 본 가장 빛나는 여자의 빛이 부러워 루다의 탓으로 전가한다. 그렇게라도 안 하면 자신이 진짜로 불쌍하니까. 자신뿐만 아니라 세상도 자신을 동정할 게 뻔하니까. 자존심이 허락하지 않아 루다의 탓으로 돌린다. 자신의 인생에서 자신의 책임을 지운다. 아란은 남자가 도와주겠다고 했던 말도 머리에서 지운다. 아란은 분명 나아질 수 있었음에도 나아가지 않았다. 머물렀다. 시간은 앞으로 가는데 아란은 가지 않았다. 뒤에서 누가 밀어주기만을 바랬다. 앞에서 끌어줄 수는 있어도 뒤에서 밀어주기에는 시간도 사람도 다 자신의 앞에 있는데 아란은 앞 대신 뒤를 보며 새아빠와 새오빠, 한, 포주를 매일 탓하며 하루하루를 뒤로 보낸다.

뒤로 보내지는 시간에는 정적만이 있다. 그 어떤 이야기도 없다. 반복되는 이야기만 있다. 아란은 매일 자신의 불행을 재생한다. 재생하고 또 재생한다. 아란의 몸과 마음은 더욱 텅 비어간다. 아란의 시간은 소란을 기다린다. 소란을 깨우는 소리는 아란의 뺨과 괴물의 손이 마주치는 소리였다. 마주쳤다고 하기에는 너무도 큰 굉음이라서 아란은 귀가 먹먹하기까지 하다. 어리둥절한 아란은 괴물을 올려다보며 오래된 문을 열 때 나는 소리처럼 억지로 입을 열어 웃어 보인다. 괴물은 집중 좀 하라고 말한다. 아란에게 너덜너덜하다며 걸레 같다고 말한다. 아란은 걸레라는 소리를 너무도 자주 들어서 이제는 무감각하다. 무감각할 줄 알았는데 미친 듯이 상처를 받는다. 아란은 자신의 더러움을 씻고 싶어 오늘도 밑이 아프도록 씻고 욕조에 들어가 잠수한다. 숨이 턱 끝까지 차올라 숨이 쉬어지지 않을 때까지 물에서 나오지 않는다. 자신이 나올 수 없기를 바라는 듯 최대한 자신의 숨을 몰아붙이지만 아란은 결국 물 밖으로 나온다.

삶보다는 죽음과 투쟁하며 사는 아란은 삶보다는 죽음을 산다. 죽어가는 아란과 다르게 한과 포주와 남자와 루다는 삶을 살아간다. 한의 삶은 삶이라고 하기에 저급하며 포주의 삶은 죽음과 삶을 오락가락 아슬하게 줄타기한다. 남자의 삶은 바쁘다. 일로 아란을 잊으려는 듯 일에만 몰두한다. 쉴 틈이 없다. 루다의 삶은 글이다. 글이 잘 써지지 않는 듯한 숨을 쉰다. 루다의 한숨에 대답이라도 하는 듯 루다의 핸드폰이 울린다.

루다는 아무런 말도 없이 전화를 받는다.

“없어. 안 해. 듣기 싫어.”

루다는 단호하게 말한다. 상대방은 뭐라고 뭐라고 말한다. 말이라고 하기에는 웅얼거려서 씨불이는 것 같은 상대의 음성은 듣기 싫다. 루다는 얼굴을 잔뜩 찡그린 채 핸드폰을 얼굴에서 멀리 떨어뜨린다. 바닥에 핸드폰을 떨어뜨려 버린다. 루다는 몸을 부들부들 떤다. 얼굴을 구긴다. 구겨진 루다의 얼굴마저 아름답게 바라보던 아란이 생각나는 루다는 더 얼굴을 구긴다. 그 구김에는 아란에 대한 궁금증이 겹겹이 쌓여있다.

루다의 궁금증에 답이라도 하는 듯 아란은 루다를 처음 만났던 카페 근처를 서성거린다. 카페 안에는 늘 같은 자리에 앉아 바른 자세로 글을 쓰는 루다가 보인다. 루다는 이날 혼자 있지 않았다. 처음 보는 누군가와 대화하고 있었다. 루다는 살짝 어색한 표정이었고, 상대는 확신이 있는 표정이었다. 아란은 루다가 어떤 대화를 하는지 궁금하지만, 루다를 마주하고 싶지 않았다. 루다와 있을 때면 좋은 곳에 가서 좋은 것들을 먹으며 누렸다. 루다와 있을 때면 자신이 무엇이라도 된 듯 으스댈 수 있었다. 루다는 단 한 번도 으스대지 않았다. 루다의 겸손함과 당연하다는 듯이 누리는 모습은 아란을 더욱 비참하게 만들었다. 아란은 루다에게 자신의 감정과 이야기를 쏟아 버릴 때는 편했지만 그 외에는 다 불편했다. 루다를 보면 자신이 거절한, 답하지 못한 남자의 도움이 생각나서, 자신의 행동들이 후회돼서 루다가 더욱 미웠다. 그래서 루다와 매일 매일 대화하며 알아갈수록 루다를 죽이고 싶었다.

아란은 루다가 부러우면서도 죽이고 싶을 정도로 싫다. 아란이 죽이고 싶어 하는 루다는 죽고 싶었다. 매일. 그리고 지금도 죽고 싶다. 하지만 그럼에도 불구하고 루다는 살아간다. 자신이 견뎌온 시간들이 아깝기에 살아간다. 원하지 않지만 굳세게 살아간다.

매일 처절한 사투를 하던 루다는 과거를 지우며 지금의 루다가 되어 살아가는 것이다. 가족들도 모르는 집에서 자신의 이름도 개명하고 자신의 상처를 철저하게 숨겨 과거의 자신을 지웠다. 정확히는 외면한다. 자신의 아픔과 상처를 아는 사람들을 다 지웠다. 다 지워버리면 자신의 고통도 지워지지 않을까 해서 루다는 원래의 자신을 버리고 이름도 바꾸고 집도 바꾸고 새롭게 삶을 시작해 지금에 도달했다.

새로운 삶의 시작에서 아란을 만난 것이다. 새롭게 만난 아란은 신기한 사람이었다. 모든 사람을 자신의 발아래에서 내려다보던 루다는 자신이 모든 사람의 유형을 다 알고 있다고 자신했다. 루다의 자신은 늘 맞았다. 자신감이 넘치는 루다의 눈에 아란은 어떤 사람인지 잘 보이지 않았다. 궁금한 사람이었다. 뻔하지 않은 사람이었다. 자신을 질투하고 시기하는 것은 이제껏 봐온 사람들과 같아도 자신을 이유 없이 좋아해 주는 것이 느껴져 좋았다. 보통 자신을 질투하고 시기하는 사람들은 자신을 욕했는데 아란은 아니었다. 아란이 설사 자신을 욕하더라도 그동안 들어왔던 욕들에 비해는 약했기에 괜찮았다. 그 정도는. 루다에게 아란은 특별한 사람이었다. 다시 사람을 믿어도 되는 걸까 망설이게 되는 설렘을 주는 사람이었다. 루다는 아란을 더 알고 싶었다.

그런 사람은 또 있었다. 루다에게 전화를 종종 걸어 기분을 잡치게 만드는 사람. 그 사람도 아란에게 아주 많은 관심이 있었다. 찝찝한 그 사람과 거리를 두고 싶었지만, 그 사람은 아주 흥미로운 이야기를 들려줬다. 차기작에 대한 기대감이 부담감으로 바뀌어 글이 잘 쓰이지 않던 루다에게 그 사람이 들려주는 이야기는 흥미로웠다. 루다는 다시 글을 쓰기 시작했고, 루다는 알게 됐다. 그 사람이 알려준 이야기는 어떤 여자의 삶이라는 것을. 아란이라는 여자의 삶이라는 사실을. 루다는 한참을 울었다. 그 적은 나이로, 그 여린 몸으로 이런 시간을 겪었다니. 만약 아란을 본다면 그 어떤 일이 있더라도 그녀의 편에 있으리라, 그녀를 사랑하리라 다짐했다.

루다는 자신의 다짐대로 아란을 품어주려고 했다. 아란의 감정이 쏟아질 때 루다는 이따금 받아주기 힘들었지만 받아줬다. 함께 고통을 나누려고 최선을 다해 노력했다. 자신의 이야기도 해볼까 생각했지만 말하지 않았다. 루다가 아란을 편하게 느끼는 것은 자신을 좋아해 준다는 것도 있지만, 자신을 크게 욕하지 않는다는 것도 있지만, 무엇보다 자신이 어떻게 살아왔는지 모르기 때문이다. 자신의 인생의 하이라이트만 보고 있는 아란에게 굳이 자신의 비하인드를 보여주고 싶지 않았다. 그러면서도 은근슬쩍 자신도 위로받고, 공감받고 싶어 자신의 이야기를 슬쩍 해보기도 했다.

루다는 아란의 가시 돋친 말들이 불편하기도 했지만, 이 역시도 괜찮았다. 남자의 이야기만 미친 듯이 부러울 뿐 그것 외에는 다 괜찮았다. 루다는 아란이 좋았고, 부러웠고, 질투 났다. 루다는 오락가락하는 정신도 부러웠다. 감정에 저렇게 솔직할 수 있다니 아란의 솔직함에 감탄하기도 했다.

루다는 아란을 아꼈다. 아란과 무엇을 먹으면 좋을지, 아란에게 무엇을 사줄지 매일 고민했다. 남자친구와의 데이트를 생각할 때보다 좋았다. 행복한 고민이었다. 행복한 고민을 마무리하고 잠에든 루다의 머리맡에 놓인 핸드폰에서 울리는 알림. 루다는 아란일 것 같아서 바로 확인했고, 슬펐다.

아란마저 자신을 이렇게 생각한다는 사실에 슬픔이 몰려왔다. 아주 오랜만에 루다는 감정을 표출했다. 엉엉 울었다. 자신의 상처를 다 들어내는 것처럼 수치스러워하며 울었다. 배신감에 젖어 배덕감까지 느끼며 울었다. 울다 지쳐 잠에 들었고, 다시 아침이 오지 않으면 좋겠다는 생각을 했다. 아란을 마지막으로 다시 볼 때까지 반복됐고, 지금도 반복되는 중이다.

오지 말라고 하는데도 아침은 오고, 햇살은 환하게 비친다. 눈은 떠진다. 루다는 오늘도 떠진 눈을 원망하며 눈을 비비며 일어나 나갈 채비를 맞추고 나간다. 카페에서 사람과 얘기한다. 이 사람이 누구인지 나와 무엇을 하는지 그저 불편할 뿐인 루다다.

어색하고 불편해 보이는 루다를 지나쳐 대형 성형외과들로 가득한 거리로 들어가는 아란. 루다를 알게 된 후로 꾸준히 맞는 필러를 얼굴에 넣는다. 필러의 묵직함이 아란의 얼굴을 채운다. 아란은 성형도 하고 싶다고 말한다. 의사와 다시 한번 얘기한다. 어떻게 하면 좋을지. 언제 할지 날짜를 잡는다. 빠르게 진행되는 절차. 아란에게 성형은 남자와의 잠자리 만큼이나 익숙한 일이다.
아란에게 성형하는 이유를 묻는다면, 첫 성형을 하고 난 후 포주의 따스함이 좋았기 때문이다. 죽이고 싶으면서도 그녀처럼 되고 싶은 루다의 삶을 빼앗고 싶기 때문이다. 이렇게라도 하면 자신과 멀어지는 것 같아서다.
타고난 얼굴을 바꾸고 지우면 자신의 인생도 지워질까봐 루다가 자신의 이름을 바꾸고 이사를 하고 자신의 친구들과 가족들을 지운 것처럼 아란은 얼굴을 지운다.

지워진 원래의 얼굴과 멀어진 아란의 지금의 얼굴은 붕대 안에 있다. 성형 후 고통이 편해진 아란은 한동안은 괴물들을 마주하지 않겠구나 하며 안심하고 수술이라는 명확한 통증과 함께 시간을 보낸다. 시간을 죽인다.
시간의 끝에는 루다를 향한 원망이 있다. 루다가 자신의 인생을 망친 것이 아님에도 불구하고 열여덟 꿈에서 매일 마주한 남자로 인해 아란은 루다의 탓이라고 은연중에 생각한다. 생각하지 않으려고 부정해보아도 그렇게 된다. 또, 루다가 쓰는 이야기는 자신의 삶을 빼다가 박은 듯 똑같았기에 아란은 루다가 지독하게 원망스럽다. 지독한 원망을 헤매면서도 지겹도록 루다가 생각난다. 자신을 바라보던 맑은 눈, 반짝이는 눈빛 그 모든 것이 탐이 나서 빼앗고 싶으면서도 부러우면서도 질투가 난다. 질투가 나서 미칠 때면 다시 루다를 죽이고 싶다. 루다가 죽으면 꿈속 남자가 말한 자신의 업보도 사라지는 거니까. 루다가 죽으면 자신과 똑같은 이야기는 멈추니까. 그러면 그 후 인생은 자신이 써 내려갈 수 있으니까. 아란의 생각은 하나도 맞지 않는다.

아란에게 열여덟은 유난히 힘든 나이였다. 그때는 자신의 선택이 아예 없었기에. 자신이 할 수 있는 것이 없었기에. 미성년자 였기에. 너무 어렸기에. 오히려 지금보다 더 힘들었다고 말할 수 있다. 아란이 유일하게 말하는 사람은 꿈속 B였고, 한이었다. 아란은 그들에게 세뇌당했다. 세뇌를 당한 것인지 B라는 망상을 만들어 세상을 탓한 것인지 아란만이 알 수 있다. 아란에게 망상과 현실은 중요하지 않다. 그저 아란은 자신을 포함한 모두를 죽이고 싶을 뿐이다. 자신을 진심으로 위했던 스무 살의 시작을 환하게 비춰준 남자마저도 죽이고 싶은 아란이다. 이유는 없다. 사랑도 관심도 미움도 원망도 혐오도 그 무엇도 다 지친 아란이다.

몸과 마음이 지칠 때로 지쳐버린 아란은 인생을 포기한다. 인생을 놓는다. 수술의 아픔도 느껴지지 않는 아란은 아무런 감정도 느끼지 못한다. 아무런 감정을 느끼지 못하는 지독한 無는 아란이 이전에도 줄곧 느꼈던 익숙한 감정이다. 단지 더 깊어졌을 뿐이다. 아란은 성형해서 자신의 원래 얼굴과 달라지더라도 기억은 여전한데 아픔은 여전한데 아물 수 있던 상처에서 흉터가 되어 지워지지 않는 건 변치 않는데 무슨 소용이 있을까 문뜩 생각한다. 문뜩 스친 생각에 감정도 다시 되 살아날 것 같은 아란은 다시 생각을 죽인다.

죽어가는 시간이 아란을 살리면서 점점 풀리는 붕대. 점점 잦아드는 통증. 아란은 천천히 위아래로 눈을 감았다 떴다를 반복한다. 매일 봤던 병원의 천장에서 자신의 방 안 천장으로 돌아오니 어색하다. 매일 보던 괴물들과 몸을 섞은 끈적하고, 담배 연기가 자욱하게 가라앉아 공기를 덮은 좁은 방의 천장이 보이지 않음이 신기할 따름이다. 아란은 신기함 속에서 기이함을 느낀다. 자신이 매일 나가서 핥아지고 벌려졌던 게 정말 남자의 말대로 그러면 안 되는 것임을 깨닫는다. 아란은 생각을 죽이고 죽여도 생각을 한다. 생각이 많은 아란의 생각 속에서 옳은 깨달음은 잘 나타나지 않는데 모처럼 나타났다. 아란은 남자가 자신에게 건넸던 기회가 보고 싶다. 왜 놓쳤을까 후회가 밀려온다. 후회의 무게는 무겁다. 아란은 견디지 못하는 듯 자신의 몸 전체를 받치고 있는 푹신한 침대에서조차 휘청거린다. 아란은 침대에서 허우적거린다. 살기 위한 몸부림일까 삶을 끊기 위한 몸부림일까. 아란의 기괴한 몸짓은 때때로 아란과 남자의 이야기가 부러워 억지로 웃어 보이던 루다의 웃음보다 더욱 기괴한 모양이다. 아란은 컥컥거린다. 자신의 열 손가락 안에 갇힌 목이 공기를 마시지도 뱉지도 못해 컥컥 마른 침을 뱉는다. 아란은 자신의 몸이 하나도 소중하지 않은가보다. 자신의 손으로 자신의 목을 어떻게 이렇게까지 강하게 조일 수 있을까. 열여덟 어린 나이부터 어린 몸을 한 아란을 이리저리 휘젓던 알 수 없는, 셀 수 없는 괴물들의 손에 익숙해져서일까 아란은 자신을 학대하는 것에 익숙하다. 몇 번이고 아란은 반항할까 했지만 지금도 그렇듯 반항 후 돌아오는 건 더 깊은 수렁의 고통이다.

아란은 눈물을 한 방울 똑 떨어뜨린다. 똑 떨어지는 눈물이 하얀 침대의 이불에 번진다. 그 부분만 조금 진해 보인다. 아란은 슬픔을 짊어지고 내려놓지 않는다. 이제는 우는 방법도 잊었는지 헤헤하고 웃어버린다. 아란은 자신이 떨군 눈물을 하염없이 쳐다본다. 한 번 더 눈물 한 방울을 떨군다. 아란은 입술을 잘근잘근 씹는다. 손톱을 따각따각 깨문다. 아란은 자꾸 과거로 생각이 돌아간다. 사과받지 못했기에 용서할 수도 없는 대상들을 끊임없이 끄집어낸다. 자신이 만든 것인지 정말 자신의 전생이 찾아온 것인지 알 수 없는 너무 긴 시간 동안 아란을 깊이 지배했던 B를 생각한다. 왜 그를 사랑했을까 자신도 이해가 가지 않는 듯 창피함을 넘어 수치스러워한다. 그러면서도 의지할 곳이 없어 그럴 수밖에 없던 자신의 처지에 무력감을 느낀다. 한도 생각해본다. 한은 자신을 위해 살인까지 도와준 사람인데 그것이 점점 커져 자신을 원했다. 그것을 빌미로 자신을 휘두르려고 했다. 그래도 그래도, 아란은 한에게 아직 고마운 감정과 그리움이 있다. 자신에게 상처를 주는 말을 뱉었음에도 자신의 모든 이야기를 아는 유일한 사람이기에 자신의 감정을 마구 쏟아부어도 되는 사람이기에 유독 쓸쓸함에 파묻혀 외로운 날이면 한과의 추억이 스친다. 한은 아란의 그런 감정을 받을 사람이 되지 못하기에 아란이 그러지 않으면 좋겠지만 아란은 계속 그런다. 시간은 자꾸 과거를 미화한다. 추억하게 한다. 바꿀 수 없는 과거로 파고드는 아란이다. 남자와의 시간들이 가장 보고 싶은 아란이다. 그 시간은 아무런 고통도 눈치도 슬픔도 분노도 없었기에. 오직 사랑만이 있었기에 그립다. 한과의 추억을 회상하는 것과는 달라도 너무 다른 애틋한 그리움이다. 아란은 포주와의 일들도 생각해본다. 포주는 왜 그랬을까. 포주와 자신은 어쩌면 가장 닮은 사람이 아닐까 생각한다. 루다도 생각한다. 죽이고 싶었고 그러지 못했다. 앞으로도 그러지 못할 것 같다. 루다를 죽이면 자신이 정말 행복해질까, 창녀 인생이 끝이 날까 궁금하다. 터무니없는 생각 속 루다의 진실한 눈이 생각난다. 여유로운 미소가 머리에 맴돈다. 아란은 루다가 쓰는 이야기가 어떻게 흘러가고 있는지 궁금하다. 자신의 인생을 그대로 옮긴 듯 똑같던 루다가 쓰던 이야기. 정말 자신의 인생을 쓰는 것이라면 여기서 끝날 텐데. 루다의 책은 완성되지 못하겠구나. 루다의 꿈은 이루어지지 않겠구나 루다도 나와 닮은 게 아닐까 혼잣말을 한다.

아란은 루다와 조금이라도 닮고 싶었고 그러지 못했다.

루다와 아란은 매일 아침이 오지 않기를 바라며 살았고, 내일이 없어도 괜찮다는 생각을 하며 지냈다. 루다는 그런데도 살았고 아란은 그래서 죽는다. 상쾌함이라고는 하나 없는 매캐한 공기로 방안을 가득 채운다. 힘이 하나도 없는 걸음으로 침대에서 냉장고로 향한다. 텅 빈 냉장고 안을 초록빛으로 채운 병들을 꺼낸다. 병원에서 처방해준 약들을 소주와 함께 씹어 삼킨다. 욕조까지 저벅저벅 걷는다. 신발을 신지 않았는데도 신발을 신은 듯 무거운 아란의 걸음은 아란의 삶 속 마지막 걸음이다. 아란은 물을 튼다. 가장 왼쪽으로 돌려 뜨거운 물만을 담는다. 살이 타들어 갈 것 같은 아란은 손에 들린 소주를 입안에 들이붓는다. 아란은 뜨거움에 괴로운 듯 낮은 소리로 윽윽 거린다. 그럴 때마다 소주를 마신다. 욱여넣듯 마시다 보니 벌써 한 병을 비웠다. 아란이 한 병을 비우기까지 걸린 시간은 고작 몇 분이다. 욕조의 물은 아직 아란의 몸을 다 덮지 못했다.

점점 더 뜨거워지는 욕조의 온도. 점점 더 타오르는 매캐한 연기. 점점 비워져 쌓이는 초록 병들. 점점 흐려지는 아란의 의식. 차오르는 욕조의 물. 녹는 아란의 몸. 녹아드는 아란의 얼굴. 잔잔한 수면에 비춰진 아란의 모습. 자신의 모습이 끔찍한 아란. 투명한 물에 비춰진 자신의 얼굴 아래로 보이는 자신의 나체. 타오르는 물의 기포. 뜨거운 수증기와 높은 온도의 알코올. 흔들리는 아란의 시선. 달아오른 아란의 눈동자. 힘이 풀리는 손. 철퍽 깨지는 소주병. 산산이 조각난 병이 조각들. 조각들을 한 손으로 뻗어 줍는 아란. 반짝이는 초록 조각을 욕조에 넣는 아란. 조각에 긁혀 빨간 피가 나기 시작하는 아란의 피부. 피로 물드는 욕조의 물. 빨갛게 빨갛게 변하는 물. 빨갛게 더욱 뜨거워지는 온도. 공간을 가득 채운 검은 공기. 공간을 가득 채운 비릿한 피 냄새. 물속에 깊이 자신을 넣는 아란. 아란 대신 떠오르는 아란의 거품. 높이 들리는 아란의 다리와 반대로 물로 더 들어가는 아란의 얼굴. 유리 조각에 찔리는 아란의 얼굴. 더해지는 통증. 견딜 수 없는 고통. 고통 속 다시 얼굴을 드는 아란. 따갑도록 매운 공기를 훅하고 들이마시는 아란의 입과 코. 더 빨개지는 욕조. 화장실 전체. 온통 아란으로 물드는 공간. 아란의 피가 물과 섞여 만들어낸 은은한 광기. 빛나도록 미쳐 버린 기운에 완전히 녹아드는 아란. 뜨거운 열기에 환호성을 지르듯 열광하는 아란의 모든 감각. 아란은 자신이 살아있음을 절실하게 느끼며 간절하게 죽음을 갈망한다.

망상 속 한 남자 B가 있는 곳으로 가는 아란. 망상에서 벗어나 더는 루다를 원망하고 싶지 않은 아란. 그 누구의 사랑도 받을 자격이 없어 자신을 사랑한 한 남자가 자신을 지워주기를 바라는 아란. 그러면서도 아파서 미칠 것 같아서 누구라도 자신을 찾아와주기를 바라는 아란. 괴물이 자신을 찾는다고 전화를 주던 포주의 전화마저 그리운 아란. 한의 집착마저 그리운 아란.

어느 순간부터 사람들에게, 괴물들에게 미친년이라고 불리며 손가락질당한 아란은 삶의 끝에서 삶을 본다. 삶의 끝에서 삶을 갈망한다. 아란은 간절히 원하는 삶이면서도 간절하게 망쳐진 자신의 삶이 싫어 살을 도려내는 소주병의 조각들과 살을 그을리는 욕조 안의 물과 숨을 막히게 하는 검은 공기들과 함께 공간에 녹아든다.

공간에 녹아들면 녹아들수록 아란은 없어진다. 아란은 자신이 녹아 흔적도 없이 사라지기를 바란다. 자신이 태어나 존재했다는 사실이 없어지기를 바란다. 사라진다. 천천히 고통을 음미하며, 통증을 마신다. 통증의 끝에는 무엇이 있을까. 미친년 소리를 미친 듯이 듣던 아란의 통증 끝에는 웃음이 있다. 아란은 마지막 힘을 쥐어 짜내며 사람들이 자신을 부르던 미친년처럼 미친 듯이 웃어 재낀다. 아란은 괴물들에게 먹히듯 웃음에 먹힌다. 죽음에 먹힌다. 삼켜질 때쯤 걸려오는 포주의 전화. 아란은 정신이 없다. 미친년이라서 정신이 없는 게 아니라 진짜 정신을 잃었다. 아란은 받을 수 없다. 들리지도 않는다. 희미하게 뜨고 있던 눈마저 감아버린다.

감았던 눈이 다시 또 떠진다. 떠진 눈앞에는 흐리게 포주가 보인다. 포주의 손과 자신의 손이 맞잡고 있다. 아란의 손에는 붕대가 감겨있다. 다리에도 붕대가 감겨있다. 얼굴에도 다시 붕대가 감겨있다. 아란은 흐린 시야가 무엇 때문인지 모르겠다. 답답한 시야를 걷어내고 싶다. 눈을 만지려고 붕대로 칭칭 감긴 손을 든다. 손가락 끝으로 조심스럽게 눈을 만져본다. 눈이 아닌 붕대가 만져진다. 붕대와 붕대가 맞닿았다. 아란은 죽음에서 삶으로 다시 돌아온 안도감에 쉬는 한숨 대신, 이 꼴로 살아야 한다는 첩첩한 현실의 막막함에 한숨을 쉰다. 아란은 자신의 한숨에 땅이 꺼져 전부 내려앉기를 바라는 듯 크게 한숨을 쉰다. 자신을 살려낸 포주가 원망스럽다. 아란은 자신을 버린 부모, 자신을 학대한 보육원 사람들, 새아빠, 새오빠, 자신을 휘두르던 한, 자신을 아끼던 남자, 자신을 이용한 포주, 자신의 이야기를 쓰는 루다 모든 것이 원망스럽다. 그들이 자신에게 좋았든 나빴든 아란은 태어남이 원망스러워 모든 것이 원망스럽다. 자신을 원망하기에는 원망의 크기가 너무 커다래서 감당할 수 없기에 자신을 제외한 모든 것들을 탓한다. 자신을 아꼈던 함부로 했던 아란은 구분하지도 못한 채 탓하기만 한다. 아란은 온전한 정신과 몸을 잃어 구분할 수 있는 이성마저 없다. 포주를 죽일 듯이 쳐다본다. 포주는 아란의 그런 눈을 보고 조용히 자리를 뜬다. 아란은 소리를 지른다. 붕대로 침대를 퍽퍽 치며 소리를 지른다. 포주를 부른다.

"야 이 창녀야. 네가 뭔데 나를 살려. 돌아와 다시 돌아와서 나를 죽여."

포주는 들썩거리는 어깨를 진정시키며 한 손으로는 얼굴을 가리고 나간다. 포주의 뒷모습을 바라보며 침대를 다시 내려치는 아란이다. 포주에게 내쳐지는 아란이다. 아란에게 문자가 한 통 온다. 포주의 마지막 문자다. 아란은 포주에게 내쳐졌다. 아란은 상실감을 느낀다. 아란은 이를 으득으득 간다. 괴로움에 몸서리친다.

아란이 병원을 나가고 가장 먼저 한 일은 엉덩이와 가슴을 겨우 가리는 금방이라도 흘러내릴 듯한 빨간 원피스를 입고 검정 구두를 신은 채 술에 취해 비틀거리며 포주가 있는 술집으로 간 일이다. 다짜고짜 소리를 지르며 포주를 찾는 아란의 소리에 포주는 몸을 숨긴다. 아란은 계속해서 포주를 부른다.

“이 썅년. 어디에 숨었어. 나와. 내 몸인데 왜 내가 마음대로 못해. 너 나오라고 이 씨발 년아.”

아란의 갈라진 목소리에서 나오는 욕들과 폭언. 술집 남자직원들의 손에 이끌려 아란은 내쫓긴다. 바닥에 밀쳐진다. 아란은 잠깐 바닥을 내려보다가 이내 고개를 쳐들고 입을 크게 벌리고 비웃는다. 눈은 반달이 되고 입은 귀에 걸릴 듯이 쫙 찢어져 있다. 아란의 두꺼운 화장에도 가려지지 않은 빨갛게 익은 피부와 조각조각 난 흉터들은 아란의 얼굴과 팔과 다리, 온몸 곳곳에 있다. 아란은 계속 웃는다. 사람들은 손가락질하며 숙덕거린다. 아란은 그 웅성거림에 더 입을 시원하게 좌악 찢어 웃는다. 땅까지 치며 웃는다. 머리까지 움직이며 웃는다. 사람들이 손가락질하고 피하면 피할수록 더 웃는다. 미친 듯이. 미친년처럼 웃는다.

미친년처럼인지 미친년인지 단단히 미친 아란의 앞에 말끔한 운동화가 보인다. 깨끗하게 하얀 운동화. 아란은 자신의 검정 구두와 너무도 다른 하얀 운동화를 살짝 만진다. 하얀 운동화를 신은 사람은 아란과 눈높이를 맞춰 쭈그려 앉는다. 아란의 힘이 풀려 흔들리는 눈동자가 잠시 멈춘다. 아란은 갑자기 일어난다. 휘청거리는 몸을 받치고 있는 높은 굽 위에 있는 발목이 마구 꺾인다. 삐걱거리는 아란은 머리카락으로 자신의 얼굴을 가린다. 손으로 자신의 팔을 숨긴다. 아란은 잔뜩 웅크린 채로 춤추듯 도

망간다. 아란의 피부에 덮이는 편안한 향이 나는 겉옷. 아란은 멈춘다. 눈물을 후두둑 흘린다. 어린아이처럼 운다. 이 역시 사람들은 뭐야? 하는 눈으로 이상한 것을 보기라고 한 듯 손가락질하며 쑥덕거린다. 아란은 아무래도 상관없다. 이러나저러나 자신은 미친년이니까.
'나는 걸레니까.'

걸레 위에 올라간 옷은 비단 같다. 아란은 남자의 품에 안겨 남자의 차에 탄다. 열아홉과 스무 살 사이 그리고 스무 살에 첫날 그랬던 것처럼 아란은 남자의 차 안에서 서울의 야경을 본다. 이전에는 선명해 보였던 서울의 야경이 흐리게 보인다. 아란은 남자를 아예 쳐다보지도 못하겠다. 남자가 어떤 표정을 짓고 있는지, 어떤 옷을 입고 있는지, 오늘은 또 얼마나 잘생겼는지, 사랑스러운지 궁금한 아란이지만 창문만 본다. 아란은 창문을 보다가 또 낄낄 되며 웃기 시작한다. 남자는 속이 답답한 듯 차의 핸들을 두 번 칠 뿐이다.

아란을 자신의 집에 내려준다. 아란은 조용히 남자를 따라 남자의 집으로 들어간다. 남자는 자신의 옷을 건네준다. 아란은 얼굴을 푹 숙인 채 건네받는다. 남자는 아란에게 화장실을 알려준다. 아란의 집과는 달리 설명이 필요할 정도로 큰 남자의 집에서 아란은 편하게 씻는다. 따끔거리는 상처들로 괴로워하면서도 남자와 있을 때 느껴지던 편안한 온기에 괴로움도 잊히는 듯 노곤해진다. 아란은 남자가 준 옷을 입고 나온다. 남자는 아란을 폭신한 소파에 앉힌다. 남자는 아란의 팔 소매와 바지의 단을 올린다. 상처가 흉지지 않도록 밴드들을 붙여준다. 아란의 상처들이 많아 온몸이 밴드로 도배되는 듯하다. 아란의 얼굴을 본다. 아란은 고개를 돌린다. 머리카락으로 또 얼굴을 가린다. 아란의 흐린 시야에 남자의 얼굴이 보인다. 남자의 눈에 자신이 비춰진다.

아란은 남자와 눈이 마주친 짧은 순간에 다짐했다. 남자는 모른다. 아란이 어떤 다짐을 했는지. 남자의 얼굴은 씁쓸하고 아란의 얼굴은 금방이라도 녹아내릴 듯 초췌하다. 아란은 야위었고, 남자는 그런 아란에게 따듯한 밥을 먹이고 싶다. 아란은 계속 남자의 시선을 피한다. 남자는 시선을 맞추고 싶다. 남자는 조용히 아란을 안는다. 남자의 어깨는 조금 떨린다. 남자의 넓은 등에 아란은 손을 살포시 얹어본다.

남자의 핸드폰이 울린다. 남자는 자리를 피해 전화를 받는다. 핸드폰 너머 들리는 윽박. 그 소리의 원인이 자신임을 아란은 직감한다. 아란은 짧은 순간에 먹은 다짐을 굳게 다진다. 자신은 남자의 곁에 있으면 안 되는 사람이라고 확신한다. 자신은 남자에게 폐만 끼치는 사람이라고 여긴다. 남자는 전화를 급히 끊고 다시 아란에게 온다. 남자가 입은 두꺼운 회색 후드티에 곱게 배어 들어가 있는 남자의 은은한 체취가 좋아 아란은 남자를 떠나고 싶지 않다. 남자는 아란의 손을 꼭 잡는다. 눈물을 삼키는 듯 목이 막힌 목소리를 가다듬는다. 무언가를 말하고 싶지만, 남자의 목 안에는 커다란 돌덩이가 있는지 남자는 말을 하지 못한다. 힘겹게 삼키고 있을 뿐이다. 아란은 남자가 무슨 말을 하고 싶은지 궁금하면서도 남자의 말에 자신이 완전히 빠져들어 버릴 것 같아서 묻지 않는다. 남자의 목소리는 듣고 싶은데 들으면 자신의 마음이 들켜버릴 것 같아서 아란은 참는다. 남자도 참는다. 남자는 참고 싶지 않지만, 자신이 사랑하는 여자의 모습이 몰골이 된 게 마음이 아파서, 속이 상해 속이 온통 다 갈기갈기 찢길 것 같아서 자신마저 무너질 것 같아서 참는다. 미친년 소리를 아무렇지 않게 듣는 아란의 모습에 남자는 자신을 의심해 마음을 아프게 했던 아란을 온전히 이해한다. 그녀는 그럴 수밖에 없었을 것이라고 아란의 고통과 상처에 공감한다. 아란을 깊은 고통의 수렁 속에서 구해주고 싶다. 남자는 아란의 손을 더 꽉 잡는다. 다시는 놓지 않을 듯 아주 꽉 잡는다.

남자와 아란은 두 손을 꼭 마주 잡은 채 침대에 가 눕는다. 나란히 침대에 누워 나란히 손을 잡고 잠에 든다. 남자와 아란은 한동안 뒤척인다. 둘은 아무런 말도 하지 않아서 뒤척이는 이불의 소리만 들릴 뿐이다. 남자는 이내 잠에 든다. 아란은 잠에든 남자의 얼굴을 잊기 싫은 듯 소중하게 자세히 하나하나 외울 듯이 본다. 느슨해진 남자의 손에서 자신의 손을 뺀다.

아란은 남자의 집을 나간다. 아란은 다시 삶에서 죽음으로 묵묵히 걸어간다. 아란이 향한 죽음은 자신의 죽음이 아니다. 다른 사람의 죽음이다. 아란은 남자의 집을 나와 곧장 포주가 있는 술집으로 향한다. 포주는 괴물들에게 콧소리를 내며 불안정한 걸음으로 그것들을 마중하고 있다.

아란은 순식간에 뛰어가 포주를 깊이 쑤신다. 자신의 아래가 괴물들에게 쑤셔졌던 것처럼, 그런 과정을 판매하며 돈의 맛을 깊이 본 포주처럼 포주의 가슴을 칼로 깊이 쑤신다. 포주의 몸은 순식간에 피로 물든다.

남자가 아란을 찾아올 수 있었던 건 포주의 덕인데 이 사실을 알 수 없는 아란은 사정없이 포주를 쑤신다. 포주는 아란을 이용했다는 죄책감에 아란을 끝까지 놓지 못했는데 자신의 죄에 대한 책임이라도 지려고 했는데. 죄는 죄이기에, 죄는 값을 치러야 하기에. 죄는 쉽게 씻어지지 않는 것이기에. 아란은 포주를 처절하게 놓아서 버린다. 포주가 아란에게 저지른 죽어 마땅한 잘못의 결과는 죽음이다. 아란이 생각한 업보는 이런 것이다. 누군가를 해했다면 죽음으로 갚는 것. 아란은 자신의 영혼을 살해한 새아빠와 새오빠를 죽이고, 자신의 영혼을 판매한 포주도 죽였다. 포주에게서 맡은 인간다운 인간 냄새는 피 냄새로 처형당했다. 인간다운 냄새가 났던 포주는 더 이상 인간 냄새가 나지 않는다. 푹 젖은 비릿한 쇠의 냄새만 난다. 포주는 순식간에 서늘한 시체가 되어 죄책감도 반성도 느낄 수 없다. 아란은 순식간에 사라졌다.

아란이 어디로 갔는지는 아무도 모른다. 아란은 모든 짐을 다 버렸다. 자신의 삶과 함께. 철벅이는 물웅덩이에 비춰진 자신의 얼굴이 흉측한 아란은 앞만 보고 달린다. 앞만 보고 달리는 차를 탄다. 어딘가로 향한다. 알 수 없는 곳으로 향한다. 목적지도 목표도 없이 자신의 얼굴을 볼 수 없는 곳으로 간다. 그 무엇도 자신을 비출 수 없는 곳으로 간다.

미친 스물하나

며칠이고 비가 꿉꿉하게 내리는 날 루다는 몸살이라도 걸린 듯 좀처럼 이불에서 나오지 못한다. 이불 안에서 자신의 다리를 감싸 웅크리듯 누워있는 루다가 이불 밖으로 손을 겨우 뻗는다. 루다는 자신의 핸드폰을 집는다. 어색하고 불편하게 카페에서 얘기를 나누던 사람에게 연락이 와있다. 루다의 책이 곧 나온다고 한다. 루다는 책의 결말을 수정하고 싶다고 말한다. 루다의 핸드폰이 울린다. 상대방은 갑자기 수정을 요청하면 바꿔야 할 사항이 많다면 난감함을 목소리로 가감 없이 표출한다. 루다는 자신의 요구가 어려운 것은 알지만 아무렇지도 않게 자신의 감정을 쏘아 붙이는 상대가 불편해 전화에 대고 크게 한숨을 쉬어 버린다. 루다의 한숨에 핸드폰 너무 눈치를 보는게 느껴지는 상대방. 루다는 이내 안심을 하고 자신의 주장을 피력한다. 루다는 자신이 원하는 대로 방향을 맞춘 후 통화를 점잖게 끊는다. 요 며칠 새 쉬지 않고 내리는 비 덕분에 루다의 넓은 거실에는 햇빛이 들어오지 못한지 꽤나 됐다. 루다는 햇살이 좋은데 햇살 한 줌도 머금을 수 없다는 사실이 답답하다. 무기력하게 물을 마시고 다시 더 무기력하게 소파로 누워 뉴스를 튼다.

뉴스에서는 연이은 비 소식과 함께 살인사건에 대해 보도한다. 살인사건의 피해자는 여자들을 파는 성매매 업소 사장이었으며 가해자는 성매매 업소녀라고 한다. 루다는 문뜩 아란이 생각난다. 아란은 루다가 알 것이라고 생각했을지, 모를 것이라고 생각했을지 그것은 오직 그녀만이 알겠지만 루다는 아란이 창녀라는 사실을 확실하게 알고 있다. 루다는 아란이 혹시나 살인까지 저지른게 아닐까라는 불길한 촉을 느낀다. 루다는 그 촉을 무시한다. 아란이 아무리 자신을 죽이고 싶다고 문자를 보냈을지언정 아란이 정말 살인까지 할 사람이라고는 생각지 않는다. 물론, 루다는 아란이 방화를 저질러 자신의 새아빠와 새오빠를 죽였다는 사실은 알고 있다. 그렇지만 칼로 난도질해 누군가를 또 죽였을 것이라고는 생각하지 못한다.

한 번 오기 시작한 비는 그치지 않고, 한 번 시작된 아란에 대한 생각도 그치지 않는다. 무언가가 불안한지 루다는 따각따각 자신의 손톱을 물어 뜯는다. 루다의 손 끝에 핏 방울이 맺힌다. 루다의 핏 방울은 루다의 거실 창문에 묻은 빗방울과 다르게 투명하지 않다. 루다는 자신의 손 끝을 더 꾸욱 눌러 피를 더 선명하게 만든다. 피가 똑 하고 떨어지고 나서야 손 끝에 약을 바른다. 루다는 멍한 표정으로 끼니도 거른 채 티브이 앞에 앉는다. 채널을 하나하나 올려보아도 반복되는 비 소식과 살인사건 이야기에 루다는 지겨움을 느낀다. 매일 새로운 이야기를 들려주던 아란이 그리운 루다다. 자신에게 아무리 상처를 주었어도 아직 어리다는 이유로 용서 받을 수 있는 나이를 한 아란을 용서 할 수 있는 루다는 진정한 어른이다. 잘못은 나이와 상관없이 잘못인걸 알면서도 용서를 하는 루다는 어리숙한 어린이다. 루다는 어떤 사람일까. 루다는 자기 자신도 모르겠는 스스로에 대한 답을 애써 찾지도 묻지도 않는다. 그저 자신이 아란을 처음보고 느꼈던 애매모호한 순수함과 어리숙함을 다시 찾고 싶을 뿐이다. 아란을 그리워 하고 찾는 사람은 루다 뿐만이 아니다. 루다의 핸드폰이 울린다. 루다는 귀찮은지 핸드폰을 틱하고 키고 스피커 폰으로 변경해 옆에 두어 성의 없이 대답한다. 성의 없는 루다의 목소리에 성심과 성의를 다해 화를 내는 상대방. 루다는 금세 질려버린 표정을 짓는다. 잔뜩 짜증이 난 루다는 미간을 찌푸린다. 전화 속 상대방은 끔찍하게 쉬어버린 목소리로 아란을 찾는다.

"그 썅년 어디갔어. 그년 어디갔어. 네가 숨겨줬지? 어디갔냐고 그년."

"내가 그걸 어떻게 알아요. 몇 번이나 말을 해야 알아들으시겠어요?"

루다의 침착한 말에도 차분함이라고는 하나도 없는 광기로 계속해서 아란에게 집착하는 목소리에 루다는 전화를 끊어버린다. 그길로 번호도 바꿔버린다. 또다시 루다는 자신을 숨겨버린다. 통화 속 상대방은 다시 미친 듯이 루다에게 전화를 걸지만 이미 없는 번호다. 상대방은 분한 듯 이까지 갈며 몸을 부들부들 떨면서 아란의 이름만을 읊조린다.

아란은 어디로 간 것일까. 아란은 포주를 죽인 후 미친 듯이 걸었다. 실성한 듯 웃으며 울며 팔짝 뛰기도 하고, 발바닥을 질질끌며 걷기도 했다. 혼자 길에 넘어져 구정물을 손으로 내리치며 소리를 지르기도 하고, 다시 혼자 벌떡 일어나 고함을 지르기도 했다. 아란은 소리를 지르다 울다가 웃다가 혼잣말을 하며 끊임없이 걸었다. 아란의 신발의 굽이 다 뭉게지고, 신발의 밑창이 낡아 문들어질 때까지 아란은 걷고 또 걸었다. 아무것도 먹지도 마시지도 않은 채 걸었다. 아란은 아무것도 마시지 못한 자신의 목이 건조해 입에 냄새까지 날 때면 하늘을 바라본 채 입을 벌려 비를 마셨다. 그 비에는 아란이 죽인 새아빠와 새오빠, 포주의 피 맛이 났다.

아란은 정처 없이 걸었다. 바람이 부는 방향을 따라 걷기도 하고, 바람과 맞서며 그 반대로 전투적으로 걷기도 했다. 그러다 쓰러질 것 같으면 쓰러졌다. 쓰러져 잠을 자고, 무언가가 마려우면 배설했다. 아란의 모습은 노숙자와 다름없었다. 만약 지나가는 사람이 한 명이라도 있었다면 코를 손가락으로 꾹 눌러 냄새가 한 톨도 들어오지 못하게 막고, 아란을 흘겨보았을 것이다. 다행인건지 아닌건지 아무도 길에 없었다. 오직 아란만 있었다. 아란을 위한 무대가 준비되어 있는 것처럼 말도 안되도록 아란이 걷는 길에는 그 아무도 없었다. 아란은 자신의 두 번째 살인까지 완벽한 것에 대해 안도하면서도 다른 것들은 턱 없이 모자른데 오직 살인만이 완벽하다는 것에 모멸감을 느낀다. 아란은 모멸감과 굴욕감, 수치심과 혐오심에 몸이 짓눌렸는지 바닥에 딱 붙어 눕는다. 도무지 일어나지 못한다. 일어나지 않는다고 하기에는 아란의 몸은 갈비뼈가 보일 정도로 앙상하고 아란의 얼굴은 필러가 녹아내려 흘러내리고 있고, 코는 보형물이 부어올라 뻘겋다. 아란은 축축하게 젖은 흙에 폭신하게 자신의 몸을 뉘이고 흙을 편하게 밴 후 낄낄되며 웃는다. 이날도 하늘에는 비가 내린다. 비는 아란의 얼굴을 따라 녹아내린다.

녹아서 가벼워진걸까. 아란을 짊어지고 가는 한 여자가 보인다. 여자는 낑낑거리며 아란을 질질 끌고 어디론가 향한다. 여자의 얼굴은 아란의 얼굴처럼 빨갛게 부어있기도 하고, 필러가 녹아 흘러내린 듯 울퉁불퉁하고, 보형물이 삐져나온 듯 아파보인다. 여자는 자신과 비슷한 얼굴을 가진 아란이 안쓰러운걸까. 있는 힘껏 아란을 자신의 집으로 들여보낸다. 집이라고 하기에는 많이 부족한 상자같은 곳이 여자의 집이다. 지붕이라고 하기에는 빗방울이 아무렇지 않게 들어오고, 문이라고 하기에는 바람이 아무렇지 않게 들어온다. 그래도 이곳은 여자의 집이다. 이곳은 아란이 배고픔과 추위를 달래고 있는 집이다. 여자는 아란이 정신을 차릴 때까지 지금은 시체가 되어버린 포주가 그랬듯이 아란을 살뜰하게 보살핀다. 포주의 시체가 활활 타들어 가 세상을 완전하게 떠나게 되고 피와 비로 젖는 아란의 몸에는 다시 생명의 불이 활활 타오른다.

간만에 아란이 눈을 뜬다. 느리게 끔뻑하고 뜬다. 자신이 눈을 뜬 사실이 믿기지 않는걸까 눈을 감았다 떴다를 반복한다. 아란의 눈에는 빗방울이 맺혀있는 지붕과 바람이 솔솔 들어오는 문이 보인다. 아란은 이런 곳도 집인가 싶으면서도 자신이 또 살았음이 원망스럽다. 아란의 코끝을 간지럽히는 된장국 냄새가 난다. 포주를 칼로 쑤신 후 아무것도 제대로 먹지 못 한 탓일까 아란은 된장국 냄새를 맡고 일어나 밥을 허겁지겁 먹고 싶지만 힘이 나지 않는다. 아란은 그저 가만히 누워 멍하니 지붕에 맺힌 빗방울이 떨어지는 것을 감상할 뿐이다. 된장국 냄새가 가까워 진다. 자신을 데려온 사람이겠거니 하며 남자를 예상하는 아란이다. 아란은 자신이 겪어온 대로 세상을 본다. 그럴 수 밖에 없다. 당연한 것이다. 당연하게 아란은 갈아 입혀진 자신의 옷을 보며 남자가 쓰러진 자신을 들쳐매고 들어와 강간했을 것이라고 생각한다. 식탁을 들고 천천히 들어오는 여자가 아란의 시야에 들어온다. 아란은 자신의 알몸을 보며 옷을 갈아입혀 준 사람이 여성이라는 사실에 놀란다. 아란은 자신의 알몸이 남성에게만 줄곧 보였기에 당연히 자신의 옷을 벗기고 갈아 입힌 게 남성이라고 생각했는데, 여성인 사실이 신기하다. 모르는 사람의 집에서 모르는 사람의 옷을 입고 있으면서도 무서워하거나 두려워 하지 않고 오직 자신의 몸을 탐하지 않고 그냥 얌전하게 옷을 갈아 입혀주는 사람이 있다는 사실에 고마움을 느끼는 순진한 아란이다.

모자른가 싶을정도로 단순하고 순진한 아란 앞에 여자는 턱하고 식탁을 둔다. 식탁에는 큼직하게 썰린 두부가 들어간 된장국과 신 냄새가 나는 김치, 밥그릇을 가득 채운 고봉밥이 있다. 배가 몹시 고프지만 힘이 없는 아란은 몸을 느리게 일으킨다. 여자는 아란을 보고 언짢은 표정으로 웃어 보인다. 여자는 아란에게 이름을 묻는다. 아란은 자신의 이름을 말한다. 아란도 여자의 이름을 묻는다. 처음 본 사이에 예의 없이 반말을 하며 묻는 아란의 모습에 여자는 아란처럼 반말로 답한다. 여자의 이름은 '이하나'다. 아란은 여자의 이름을 중얼거린다. 뜨끈한 국물에 밥을 한 공기 싹싹 비운 아란은 괴물들이 자신을 맛보고 늘 말했던 맛있다는 말을 한다.

"맛있다."

하나는 맛있게 먹는 아란이 이뻐 보이는지 언짢은 표정에서 어색한 미소로 바뀐 얼굴을 들어 보인다. 아란은 밥을 먹고 기운을 차린걸까 하나가 부엌으로 가 식탁을 정리하는 것을 도우려고 한다. 하나는 혼자 하겠다고 한다. 누워있으라고 한다. 아란은 하나의 갑작스러운 호의를 그냥 받아드린다. 남자의 호의를 받아드리지 않아 후회했던 것처럼 미련을 남기고 싶지 않아 하나의 호의를 편하게 받아드린다. 어쩌면 아란이 하나의 호의를 편하게 받아들일 수 있는건 루다가 아란이 편했던 이유와 같을지도 모른다. 드러내고 싶지 않은 자신의 이야기를 모르는 사람이라서 오히려 자신을 편하게 드러낼 수 있다. 루다가 아란에게 그랬던 것처럼 아란도 이런 부분에서 하나를 편하게 느낀다. 하나는 그래도 아란이 수상하다. 자신을 처음 보는데 낯설어 하지도 않고, 자신이 거의 살려준것이나 마찬가지인데 딱히 고마움도 표현하지 않는다. 호의를 당연하게 받아드리는 아란이 얄미우면서도 다행스러운지 아란을 받아드리는 하나다.

하나의 형편은 썩 좋아보이지 않는다. 그럼에도 왜 아란을 데려왔을까. 인간으로서 당연히 해야 할 도리라고 생각해서일까. 그렇다면 왜 병원으로 데려가지 않았을까. 하나는 숨기는 게 많아 보인다. 하나는 자신이 숨기는 것을 들키지 않기 위해 괜히 아란에게 말을 걸어본다. 물었던 것을 또 묻고 또 묻는다. 마치 입을 갓 땐 아이처럼 같은 말만 반복한다. 아란은 하나가 자신처럼 정신적으로 문제가 있음을 직감한다. 하나가 어쩌다 이렇게 되었는지 왜 아무도 살지 않는 이런 구석에 사는지 궁금하다. 아란은 하나에게 묻는다. 하나는 망설이다가 먼저 아란에게 묻는다. 아란은 자신이 저지른 살인사건이 이대로 묻힌건가 싶으면서도 아무리 둘러보아도 핸드폰이나 티브이나 라디오가 없는 하나의 집을 보니 이 여자는 아무것도 모르겠구나 하고 안심한다. 어디까지 말해도 될까 계산한다. 하나 역시 어디까지 자신의 이야기를 해도될까 계산한다. 계산은 침묵 속에서 꽤나 긴 시간동안 진행된다.

두 여자의 계산이 끝난 후 하나가 먼저 입을 땐다. 하나의 첫 마디는 충격적이다.
"내가 사랑했던 남자의 아이를 죽였어."
살인에 대한 고백이 하나의 첫 이야기다.
"정확히는 내가 사랑했던 남자의 아이를 버려서 그 아이가 자살을 하게 만들었어."

복잡한 관계 속 얽히고 섥혀 있어 보이는 하나의 이야기는 건강을 되찾기 위해 지루하게 누워만 있던 아란에게 흥미롭게 들린다. 아란은 다 얘기해달라고 한다. 하나는 내심 자신의 이야기를 하고 싶었던 것일까. 숨도 쉬지 않고 자신의 이야기를 털어놓는다. 하나는 외로운 사람이었나보다. 말 할 사람이 필요했나보다. 아란은 루다가 자신의 이야기를 들어주며 눈을 맞춰 준 것처럼 남자가 자신의 손을 따듯하게 손으로 덮어준 것처럼 하나와 눈을 맞추고 하나의 손등 위에 자신의 손을 올려 체온을 전한다.

하나는 멍청했다고 한다. 태어날때부터 지능이 낮고 못생겼다고 한다. 늘 손가락질을 받았고 눈치를 봤다고 한다. 하나의 언니는 그런 하나를 때리고 욕했다고 한다. 하나가 자랄수록 그 폭행은 더 심해졌다고 한다. 하나의 언니는 자신의 남자친구들을 불러 하나를 범하게 했고 외면했다고 한다. 오히려 자신의 친구들을 하나가 꼬셨다며 하나를 욕했다고 한다. 하나의 엄마는 그런 하나를 방치했다고 한다. 오직 언니의 말만 믿었다고 한다. 하나는 체념했다고 한다. 자신의 몸이 남자들에게 탐해지고 자신의 정신이 여자들에게 갉아 먹히는걸 받아드리기로 했다고 한다.

하나는 자신의 삶 속에서 자신이 숨어버린 삶을 살며 어찌저찌 성인이 되었다고 한다. 성형을 했다고 한다. 성형을 하기 위한 돈은 사채업자에게 빌렸다고 한다. 하나는 자신을 못생겼다고 놀리면서 자신의 빼어나게 아름다운 몸만을 탐하던 남자 대신 자신을 진정으로 사랑하는 사람을 만나고 싶어서 성형을 했다고 한다. 자신과 달리 남자와 여자에게 사랑을 받는 예쁜 언니를 보고 자란 하나는 사랑을 받기 위한 조건은 얼굴이라고 생각했다고 한다. 하나가 생각한 조건은 맞았다고 한다. 정말 얼굴이 예뻐지자 사람들의 태도가 변했다고 한다. 얼굴이 뭐라고 이렇게 사람들의 태도를 손바닥 뒤집듯이 편하게 바꾸지는 가증스러웠다고 한다. 하나는 손쉽게 변하는 사람들이 싫으면서도 이전보다는 사랑을 받고 있는 자신의 삶을 마음껏 즐겼다고 한다. 삶에서 자신을 찾았다고 착각한 순간이라고 한다.

얼굴에 취해 술에 취해 남자에 취해 음악에 취해 놀다보니 하나는 사채업자에게 돈을 갚는 것을 까먹었다고 한다. 하나의 집에 사채업자들이 들이닥쳤고 하나의 언니가 사채업자들에게 쳐맞고 있었다고 한다. 하나는 솔직히 통쾌했다고 한다. 자신을 욕하고 때리는 것도 모자라 성폭행에도 노출시킨 언니가 당하다니 짜릿했다고 한다. 그러면서도 자신도 사채업자들이 때리고 범 할까봐 무서워 언니를 사채업자에게 팔아넘겼다고 한다. 사채업자는 하나보다 예쁜 언니가 값어치가 나간다고 생각을 했고 그런 부분에서 자존심이 상한 하나지만 언니라는 것과 사채업자와의 연에서 풀려난 것 같아 편했다고 한다.

하나의 부모님은 집으로 돌아와 난장판이 된 꼴을 보고 하나를 때렸다고 한다. 늘 그렇듯 맞을까 하다가 하나는 대들었다고 한다. 그 후로 하나의 부모님은 하나에게 말을 시키지도 손을 대지도 않았다고 한다. 그 후로 하나의 언니는 임신을 하고 출산을 했다고 한다. 아이는 사채업자의 아이였고 언니는 모든걸 내려놓은 듯 아니면 무언가에 협박을 당하는 듯 모든 것을 포기한 채 사채업자와 결혼했다고 한다. 사채업자와 악마와도 같았던 악랄한 언니 사이에서 태어난 아이의 이름은 도화였다고 한다. 하나는 술집에서 몸을 팔며 사채업자인 남편의 사업 확장을 도와주는 자신의 언니의 딸 도화를 대신 봐주었다고 한다.

도화는 자신과 언니와 달리 맑고 순수하고 지혜로운 아이였다고 한다. 하지만 그 아이도 사람들에게 어디 모자른애라며 손가락질 받았다고 한다. 태어난지 얼마 되지 않아서 다친 도화라는 아이는 얼굴에 큰 흉터와 찌그러진 모양을 가지고 있었고 손가락은 몇 개 없었다고 한다. 그런 못생기고 덜 떨어진 아이의 모습을 보면 꼭 자신의 모습 같았고 그래서 도화를 온전히 사랑하지 못했다고 한다. 그 전에 자신의 언니의 배에서 나온 그 아이를 사랑하는 것은 불가능 했다고 한다.

도화가 있었던 병원에서 자신이 사랑했고, 지금까지도 증오하는 한 남자를 만났다고 한다. 그 남자는 기연이라는 아이가 있었고, 그 남자는 어떤 여자를 사랑했다고 한다. 그 방식은 한참 잘못됐지만 늘 그 여자를 얘기했고 자신이 그 여자처럼 되기를 바랬다고 한다. 그 점이 거슬려 그 여자는 이미 죽었음에도 또 죽이고 싶었다고 한다. 하나는 결국 그 남자와 동거까지 했고, 그 남자의 아이까지 함께 키우기로 했다고 한다. 결혼도 안했는데 이게 맞나 싶었고, 아이에게 들어가는 돈으로 자신을 더 꾸미고 자신의 미모를 유지하고 싶었던 하나는 기연이를 버렸나고 한다.

아란은 기연이라는 아이가 버려진 얘기를 들으니 B가 생각났다. B도 아이를 버렸는데. 어쩌면 같은 아이가 아닐까 하는 터무니 없는 생각을 한다. 터무니없는 생각이지만 때로는 그런 생각이 맞을 때가 있다. 지금 이때는 어떤 때일까 생각하는 아란이다.

하나는 기연이라는 아이를 얘기하며 울먹거린다. 울먹임에 따라 들썩이는 하나의 보형물들이 눈물이라는 자연스러운 감정의 반응과 다르게 부자연스럽다. 아란은 자신의 얼굴도 저럴까 생각한다.

하나는 부자연스러운 얼굴을 한 채 자연스럽게 자신의 말을 이어간다. 하나는 치가 떨리는 듯 몸을 부르르 떨며 얘기한다. 그 얘기의 끝에는 남자의 죽음이 있다.

남자는 기연이가 버려진 곳에서 기연이의 시체 옆에서 목을 칼에 뚫린 채, 배가 갈린 채, 눈알이 뽑힌 채, 귀가 잘린 채, 불알이 뽑힌 채 죽었다고 한다. 그리고 그 남자를 죽인건 하나라고 한다.

하나는 그 남자를 그렇게 무자비하게 죽였으면서도 분이 풀리지 않았는지 그 남자를 또 죽이고 싶다고 말한다. 아란은 이런 생각이 마치 B 같다고 생각한다. B도 이미 죽은 사람들을 탓하며 자신에게 그 사람들을 또 찾아 죽이라고 했었는데. B와의 대화를 회상한다. B의 말이 아란이 믿어온대로 정말 맞다면 하나가 증오하는 그 남자를 하나가 또 죽이는 것이 가능할지도 모른다. 마치 자신이 B가 사랑했던 여자를 이번생에 자신이 죽이려고 한 것처럼.

정신이 나가 보이는 하나의 말을 들으며 동질감을 느낀 아란은 자신의 이야기를 들려준다. 하나는 아란의 이야기에 명쾌한 답이라도 받은 듯 맑고 가벼운 소리로 웃는다. 하나의 웃음은 하나의 쭈글거리는 손과는 다르게 활짝 펴져 있다. 하나의 웃음은 하나의 나이와 정 반대라고 말할 수 있는 소녀의 웃음처럼 수줍은 설렘으로 가득 차 있다. 웃음을 뚝 하고 멈춘 후 하나는 아란에게 묻는다.

"그런데 그 B라는 것이 뭐 다른 여자 얘기는 안 해?"

"응 그랬던 것 같아. 주로 루다를 닮은 여자 얘기만 했어. 그리고 자기가 처음 사귀었던 여자 조금? 그게 다인 것 같네. 거의 다 루다를 닮은 여자 얘기였어. 자기 아들이랑."

아란의 반말이 거슬리는 하나지만, 그것보다 더 거슬리는게 아란의 대답이었는지 하나는 보형물이 곧 튀어나올 듯이 인상을 콱 하고 구긴다. 하나는 '나는 안중에도 없었다는 거네. 비참하네.'라고 혼자 웅얼거린다. 비참함에 못 이겨 우울함과 분노가 가득한 사악한 웃음을 내지른다. 아란은 그 소리가 듣기 싫어 귀를 슬며시 막는다.

하나는 귀를 막는 아란의 얼굴을 빤히 응시한다. 그 눈길이 불편한 아란은 시선을 피하지만 아랑곳하지 않고 하나는 아란을 뚫릴 듯 쳐다본다. 이내 아란은 뭘 그렇게 쳐다보냐고 따지듯 묻는다. 하나는 입을 쩝 하는 소리와 함께 땐다.

"나도 너 나이 때 얼굴에 손을 많이 댔는데. 너도 그랬구나. 불쾌하게 나랑 닮아가지고서는."

하나는 다시 쩝 하는 소리와 함께 입을 다물다가 금세 다시 땐다.
"이제 그만해 성형. 너 내 꼴 난다? 얼굴 망하면 인간관계도 망해. 아니, 그냥 얼굴이 망하면 인생이 망하는거야. 나는 망한 인생을 가지고 태어났고."
얼굴과 인생은 바로 직결되는 문제일까. 부정하기에도 긍정하기에도 애매한 말에 아란은 침묵한다. 모든 문제의 원인을 얼굴로 치부하는 하나의 모습에서 아란은 자신의 모습을 보는 듯한 묘한 기시감을 느낀다. 아란은 모든 문제와 불행의 원인을 B가 죄를 짓게 한 여자에게 돌렸다. 그리고 자신의 얼굴은 그 여자처럼 아름답지 못함에 분해했다. 분함 속 피어나는 의문점. 하나는 정말 그 남자의 후생을 죽일까? 그 사람은 죄가 없는데? 아란은 자신의 멍청한 머리가 궁금증을 잊기 전에 얼른 묻는다.

"넌 그럼 그 남자의 후생을 보면 죽일거야? 그 사람은 죄가 없는데?"
"그럼. 그러려고 사는건데."

하나의 한치의 망설임도 없는 대답에는 확신이 있었다. 하나의 인생의 목표는 또 한 번의 살인이고, 그토록 싫어하며 증오하며 자신에게 지워지지 않는 커다란 흉터를 남긴 사람을 평생을 생각하며 늙어 왔다. 아란은 자신도 저렇게 늙을까 무서워 루다를 죽일걸 하며 후회한다. 아란의 생각은 아무런 소리도 내지 않지만 하나의 가는 귀에는 들렸는지 하나는 아란에게 능글거리는 말투로 묻는다.

“왜 너도 죽이고 싶은 사람이 있는게야?”
“응.”
“누군데?”
“내 꿈 속에 나온 전생 있잖아. B라고. 그 사람이 자신이 죄를 짓도록 만든 여자가 한 명 있다고 했잖아. 그 여자는 B의 사랑을 받았었고, B에게 정신적으로 학대당했었고, B의 아들을 낳았다 했었잖아. 그래서 B는 그 여자와 아이에게까지 죄를 지었고. 그래서 그 사람이 죄를 지었다고 자기는 주장을 하는데, 솔직히 나는 잘 모르겠다가도 알겠어. 음. 내 인생이 이런게 다른사람의 탓이라는게 좋으면서도 그 사람들이 만약 죄가 없는 거라면? 나는 그냥 내 살인을 합리화하는 것일 뿐이잖아.”
아란은 무엇이 옳고 그른지 구분할 줄 아는 사람이다. 그렇기에 루다를 죽이지 않았겠지. 루다를 충분히 빠르게 죽일 수 있음에도 죽이지 않았겠지. 루다는 죄가 없음을 본능적으로 알기에 못 한 거겠지. 그럼에도 아란은 옳고 그름 속에서 정신을 혼미하게 잃는 사람이다. 그래서 포주를 칼로 쑤셔 죽였다. 아란은 자신의 살인은 전부 잊은 건지 순순하고 바른 표정으로 담담하게 말을 이어간다.
“아무튼 그 새끼가 그 여자 얼굴도 보여줬었거든? 그 사람이랑 똑같이 생긴 여자를 내가 알아. 심지어 그 여자가 내 이야기를 똑같이 글로 쓰고 있었어. 그래서 그 여자를 죽였어야 했는데 죽이지 못했어.”
“등신같은 년. 왜 그런 기회를 놓치니?”
자신을 내려 깎는 욕에 면역이 생긴 아란은 하나의 욕에 딱히 신경을 쓰지도 않은채 자신이 루다를 죽일 수 있는 기회를 놓친것에 대해 곰곰이 생각한다.
"그 사람은 죄가 없으니까? 그게 이유야."
하나는 아란의 올곧은 대답에 눈동자를 흰자의 가장 아래로 몰아 넣은 채 흘끔 쳐다본다. 흘끔거리는 검은 동자는 미세하게 흔들린다.

"나도 죄가 없지 않나? 나 그냥 태어났는데 버려졌고, 나 그냥 이쁨 받고 싶었는데 맞았다? 그러고 강간 당했어. 내가 뭘 잘못했지? 나는 왜 죄가 없는데 고통받지? 그럼 루다도 고통 받아도 되는거 아닌가?"
다시 흔들리는 아란이다. 아란은 하나처럼 자신의 인생을 망가뜨렸다고 생각하는 사람을 죽이고 싶은걸까 아닌걸까. 하나는 살인을 확신하지만, 아란은 그러지 못한다. 루다와의 시간은 소중했기에, 루다의 선한 배려는 원망을 지웠기에. 아란은 루다가 쓰는 글에 대한 의심은 아직도 있지만 묻어 둔다. 늘 그래왔듯이. 자신의 고통을 외면하고, 자신에게 온 행운이라는 기회를 등졌던 것처럼 묻어 둔다.

밤이 찾아왔다. 가로등 불빛 하나 없는 곳에 사는 하나의 집에서 보는 밤하늘의 별은 아름답다. 아란은 두 손을 모아 별에게 소원을 빈다.
"죽게해주세요."
아란의 소원은 변했다. 고통을 지우려 한 살인의 선명한 비명. 선명한 피. 원망의 죄책감. 아란은 이제 남 말고 자신이 죽고 싶다. 그러다 문뜩 묻어두었던 루다의 책이 생각난다. 루다는 어떻게 자신의 이야기를 똑같이 쓸 수 있었을까. 그게 가능한 일인가. 루다를 다시 의심한다. 잠을 자지 않고 밖에서 어슬렁거리며 손톱을 딱딱 물어뜯는 아란이 거슬리는지 하나는 아란에게 들어오라고 말한다.

"들어와. 추워. 감기 걸려."

아란은 씩 하고 웃더니 들어간다. 조용히 하나의 옆에 눕는다. 맨살이 아닌 몸을 감싼 옷의 촉감이 좋은 아란은 하나의 옆에 딱 붙는다. 하나는 가만히 있어 준다. 아란은 하나의 허리를 긴팔로 감싼다.

"나 떠나려고. 할 일이 생각났어."

"뭔데?"

"아까 밖에서 혼자 있으면서 든 생각인데. 나 죽고싶어. 그게 내 소원이야."

아란의 소원에 섬짓 놀라는 하나다.

"죽지마. 죽긴 왜 죽어."

하나의 목소리에는 걱정보다는 불안이 있다.

"바로는 안 죽어. 할 일이 있거든."

"뭔데?"

"나 그 여자를 죽일거야. 루다. 아무래도 안되겠어. 내 이야기를 쓰며 그 년은 돈을 벌거잖아. 내 고통을 팔아서 자신의 행복을 취하는거잖아. 그걸 어떻게 보고있어. 그래서 죽이려고. 일주일 후 쯤 갈까 봐. 아직은 더 쉬고 싶네."

"그래. 천천히 해."

왜인지 모르게 불안해 보이는 하나의 뒷모습을 더욱 꼭 안아주는 아란이다. 하나가 말을 곱게 해주지 않았어도 아란은 하나가 좋다. 자신의 이야기를 묵묵하게 들어주고 정신이 이상한 년, 미친년 취급을 해주지 않았기에. 그것만으로 충분하다.

아침이 밝았다. 우중충한 하늘 속 태양의 게으름과 달리 분주한 움직임으로 부지런히 아침밥을 차리는 하나다. 매콤하고 달달한 냄새가 나는 김치찌개와 두툼한 계란말이. 그리고 햄이 있다. 아란은 침을 꼴깍 삼킨다. 루다와 함께 먹었던 별이 박혀 있는 파인다이닝의 고급스러운 음식들보다 투박한 정이 느껴지는 포주와 하나의 밥이 더 좋은 아란이다. 루다는 이런 밥을 먹어본 적이 있을까. 집밥이라고 불리는, 엄마의 손맛이라고 불리는 밥을 먹어본 적이 있을까. 아란은 생각한다.

아란은 엄마의 손맛이 있는 따스하고 구수한 집밥을 먹어본 적이 없지만, 자신의 첫 성형 후 간호해준 포주의 밥과 매 끼니를 챙겨주는 하나의 밥으로 인해 집밥이 무엇인지 알 것 같다. 루다는 단 한 번도 자신의 집 이야기나 친구 이야기를 한 적이 없다. 못 한걸까, 안 한걸까. 아란은 루다를 기필코 죽이리라 다짐했으면서도 모든 순간 흔들린다. 루다의 글을 처음 본 순간 느꼈던 징그럽게 끼치던 소름의 느낌은 잊혀지지 않아 B의 저주와도 같은 말처럼 자신에게 루다를 죽이라고 명령하는 듯 하다. 아란은 다시 갈등한다. 갈등을 하다가 하나에게 묻는다. 하나는 자신보다 한참은 오래 살아보이기에, 자신이 할머니라고 불러도 불편함이 없을 나이로 보이기에 세월의 지혜를 빌려보고자 묻는다.

"정말 죽일거야?"

다른 사람들이 듣는다면 말도 안되는 이야기라고 생각하겠지만, 전생과 후생. 이어지는 생과의 생. 환생. 이것들을 다 맹신하는 하나와 아란에게는 몹시 중요하고도 진지한 일이다. 하나는 한 쪽 다리는 접어 팔을 받친 채로 교양 없이 쩝쩝 거리며 후두둑 밥을 흘리고, 떨어진 밥알을 주워 먹으며 답 한다.

"응. 죽일거야. 그 놈은 몇 번이고 죽어야 싸. 왜. 어젯밤에는 떠날거라고 어떤 년 하나 죽일거라고 말해놓고서는 이제 무서워?"

"아니. 무서운건 아닌데 망설여져서."

"뭐가 어렵니. 그년이 네 인생을 똑같이 쓴다며. 어떻게 그게 가능하겠어. 뭔가 있는 거겠지. 죽여 그냥."

사람의 죽음을 너무도 쉽게 말하는 하나에게서 이상함보다는 안도와 공감을 느끼는 아란이다. 아란은 밥을 다 먹은 후 살짝 나오게 된 배를 보며 꼬집어 본다. 벌러덩 눕는다. 씻지도 않는다. 아무도 뭐라고 하지 않기에. 다시 잔다.

졸리지 않은데 누워서일까 아란의 머리에는 온갖 잡념이 들러 붙는다. 아란이 여전히 사랑받고 싶은 그리운 남자를 생각한다. 그에게 다가서기엔 자신은 한 없이 초라해서 다가갈 수 없다. 사랑 앞에서 가장 소용 없는게 자격지심이거늘 아란은 남자와의 사랑 앞에서 자격지심을 느끼기 위해 용 쓰는 듯 남자를 떠올릴때면, 루다와 자신의 차이를 세세하게도 비교했던 것처럼 남자와 자신의 처지를 비교하며 자신을 깎아 내린다. 아란이 남자에게 다가가지 못하는건 자격지심과 마지막 남은 양심일지도 모른다. 아란은 자신은 살인자이며 창녀임을 안다. 자신의 살인이 정당하더라고 사회는 자신을 손가락질 할 것임을 안다. 그렇기에 아란은 남자와 멀리 떨어져야 한다. 남자는 사회에서 추앙받는 존재일 것이기에. 남자와 거리를 두는 것. 그것이 아란의 양심이다. 아란의 마지막 양심인 남자는 삶을 담담히 살아간다. 어쩌면 남자에게는 아란은 있어도, 없어도 되는 존재였을지도 모른다. 사람은 행운을 간절히 원하지만, 행운은 굳이 사람이 없어도 되는 것처럼. 아란은 남자가 없으면 힘이 들고, 괴롭지만, 남자는 아란이 보고싶을 뿐 삶의 지장은 가지 않는다.

아란의 친구이자, 살인대상이자, 선망의 대상인 루다도 떠올린다. 루다는 밥을 굶는다. 귀찮아서 먹을 의욕이 없어서, 삶의 의욕도 없어서 끼니를 거른다. 루다는 집밥을 모른다. 정 없는 집에서 자라, 편애를 받으며 정 없이 자랐다. 차갑게 자란 루다는 모순되게도 그 누구보다도 맑고, 환한 미소를 가졌다. 사람들은 루다를 여유 있게 보고 결핍이 없어 보인다고 한다. 맞는 말이기도 하다. 루다는 금전적으로 늘 풍요로웠다. 정신적으로는 늘 결핍되어 있었다. 아란보다 애정을 더 많이 갈구할지도 모르는 일이다. 이 사실을 아는지 모르는지 아란은 루다를 생각할 때면 부러움이 앞서고 루다의 상처 하나 없어 보이는 얼굴을 뜯어버리고 싶을 뿐이다. 그럴때면 루다의 진심어린 마음이 다가와 죄책감을 심어준다. 사람의 마음을 움직이는건 결국 선함인가보다.

아란은 남자와 루다를 번갈아 가면서 생각을 하다가 잠에 든다. 아란이 잠에서 일어 났을 때 가장 먼저 보인 것은 하나의 희끄므리한 눈동자다. 주름에 끼여 녹아서 쳐진 하나의 얇은 가죽에 덮힌 눈동자가 징그럽게 느껴진다. 마치 한이 자신을 빤히 바라보던 것처럼. 아란은 놀라서 소리도 지르지 못했다. 아무런 소리도 나오지 않았다. 왜 그러고 있냐고 말을 더듬으며 물을 뿐이다. 하나는 웃어 보인다.

"자는게 예뻐서 쳐다봤지. 왜 그러면 안돼?"

하나의 뻔뻔한 태도는 자신이 도와줬다는 이유로 휘두르려고 했던 한의 뻔뻔한 태도와 닮았다. 소름 끼치는 하나의 눈동자 덕에 한이 떠오른 아란은 잠깐 한을 생각한다. 한과 함께 놀러 간 곳은 시간이 지나 미화된 것인지, 분명 창피함을 견디는 시간이었는데 꽤나 재밌었다고 생각된다. 아란은 한을 그렇게 내친 것에 대해 잠시 후회하다가도 자신은 절대 한의 얼굴을 이성으로 볼 수 없음을 알기에 후회를 빠르게 접는다. 계속해서 자신을 구석구석 훑어보는 하나의 눈에 아란은 불쾌한 부담스러움을 느껴 이불을 얼굴과 발끝까지 끌어당겨 덮는다.

반복되는 아란을 향한 하나의 치밀한 관찰에 아란은 점점 더 숨이 막힌다. 계획했던 것보다 빠르게 하나의 집에서 나가려고 몰래 움직인다. 그 움직임은 지나치게 철저하지 못하고 어설펐고, 하나는 지나치게 예리해서 눈치를 챈다. 아란에게 아무렇지 않은 척 밥을 차려 내오는 하나의 밥을 먹고 아란은 깊은 잠에 든다. 아란은 모처럼 꿈을 꾼다. 꿈에는 자신이 그토록 탐하고, 죽이고 싶은 자신의 전생이 저지른 업보의 악연을 끊을 고리인 루다가 나온다. 루다는 어딘가 모르게 지쳐 보인다.
 아란의 꿈 속 루다는 아란이 알던 루다의 여유로운 태도와 티 하나 묻지 않은 맑은 미소는 어디로 간 걸까. 루다는 지쳐 보이고 괴로워 보이며 피곤해 보인다. 정확히는 우울해 보인다. 루다는 책 출간을 앞둔 것으로 보인다. 아란이 성형을 하기 전 본 루다와 대화하던 남자는 출판사 직원이었다. 루다는 그때도 불편해 보였고, 지금도 불편해 보인다. 어쩌다 루다가 저렇게 된 걸까 궁금하면서도 자신이 동경하던 루다가 자신과 다를 바 없는 구질구질한 표정을 짓고 있는걸 꿈 속에서라도 보니 어딘가 모르게 통쾌한 아란이다.
 루다는 아란의 꿈처럼 구질구질한 표정을 짓고 있다. 다만, 아란과 다른 점은 그녀가 입은 옷은 아란이 걸치고 있는 다 해진 거적대기와 같은 천 쪼가리와 달리 옷다운 옷이고, 성형 부작용으로 녹아내린 얼굴과 달리 투명하게 빛나는 피부 위에 잘 빚어진 눈과 코와 입이 있다는 것이다. 루다는 왜 책의 출간을 앞두었는데 자꾸 미루고 망설이며 불안해 하는걸까. 루다가 책에 쓴 아란의 이야기에 대한 죄책감일까. 루다는 답지 않게 손톱을 물어 뜯는다. 루다의 잘 가꾸어진 손톱 끝이 갈라질 때쯤 루다는 정신을 차린다. 문뜩 생각나는 말이 있다. 아란의 말이다.
 '언니, 나는 사랑 받고 싶어. 정말 많은 사람들한테.'
아란은 언제인가 루다에게 이렇게 말한 적이 있다. 그때의 아란의 목소리는 진실만이 가득했기에 루다는 아란이 말한 것을 이뤄주고 싶었다. 그러고는 생각했다. 자신은 아란의 남자처럼 자신을 끝까지 놓지 않고 위해주는 사람이 있으면, 그것만으로 충분할텐데 왜 아란은 많은 사람들한테 사랑받고 싶었을까. 아란은 왜 온전한 사랑을 받고 있음에도 또 사랑을 갈구할까. 왜 많은 사람들에게 사랑을 받고 싶을까 생각해 보는 루다다.

아란은 어렸을 때부터 많은 남자들의 욕정을 받았다. 그들은 아란은 다 벗겨놓고 아무렇게나 때리고, 탐하며 사랑한다고 말했다. 그들이 말하는 사랑은 사랑이 절대 아니었다. 어린나이에 어리숙하고, 세상 물정을 모르고 자기 자신만 아는 아란도 알 수 있을 정도로 저열하며 저급하고 저질스러운 욕정 덩어리를 사랑이란 말로 포장해 말한 것에 불가했다. 아란은 자신의 육체만을 탐하고, 성욕을 충족시키는 물건으로만 보면서 사랑한다고 연신 말하는 남자들의 모습에 구역질이 난다. 그런데 더 기분이 더러운 사실은, 그 사람들이 아니면 자신은 살아갈 수 없다는 것이다. 분명 살아갈 방법은 있지만, 자신은 모른다는 것이다. 아란은 욕정에 눈이 멀어 말하는 오염된 사랑 대신 진정한 사랑을 많이 받고 싶다. 아란과 관계를 한 사람들이 말한 사랑보다 훨씬 더 많이 사랑을 듣고 싶다. 자신을 사랑하는 딱 한 사람만 있어도 충분함을 아란은 모르기에, 많은 사람들의 사랑으로 자신이 뒤집어 쓴 오염된 사랑이라는 탈을 쓴 욕정을 정화 시키고 싶이한다.

루다는 어렴풋이 아란의 생각이 읽힌다. 루다는 아란이 사랑받기를 바란다. 그러면 자신이 해줄 수 있는 것은 무엇일까 생각한다. 우선, 아란은 어디 있는걸까. 그런데 자신은 왜 아란을 찾는걸까. 아란은 자신을 죽이고 싶어했고, 자신에게 상처를 준 사람들과 똑같이 말을 하고 행동을 하며 자신에게 실망을 안겨 주었는데 왜 아란을 찾고 아란의 행복을 바라는 것일까. 적당한 양심과 도덕심을 가진 보통의 사람, 루다는 자신의 생각이 의아하면서도 그러고 싶기에 그러려고 한다.

자신을 보통의 사람으로 생각하지만, 아란에게는 그 누구보다 특별하게 아름다운 사람으로 보이는 루다의 핸드폰이 정신없이 울린다. 유독 경박하게 울려대는 소리에 시끄러워서 루다는 모르는 번호임에도 불구하고 빨리 전화를 받아 버린다. 익숙하게 불쾌한 목소리가 핸드폰 너머로 들린다. 루다는 분명 번호도 바꾸고 핸드폰도 바꿨는데 어떻게 알고 전화를 한 걸까. 끈질긴 상대의 행동에 소름이 끼치고 왜인지 모를 두려움에 압도되어 몸까지 떨리는 루다다. 어떻게 이 사람은 이렇게 아란의 이야기와 자신의 뒤를 잘 쫓는걸까. 이 사람은 돈이 많은걸까? 아니면 잃을게 없어서 무서운게 없는걸까. 아무래도 후자에 가까울 것 같은 느낌에 루다는 더욱 불쾌한 두려움을 느낀다. 잃을게 없다는 것 만큼 무서운건 없다. 루다는 핸드폰 너머로 들려오는 아란을 향한 광기 어린 집착을 하는 상대의 음성에 자신마저 위험해질 수 있다는 사실을 감지하고 전화를 그냥 꺼버리고 당장 경찰에 신고한다. 경찰은 증거가 불충분하며, 스토커라고 하기에는 부족하다고하며 신고접수가 불가능하다고 한다. 루다는 당황을 넘어 당혹스럽기까지 하다. 이 사람을 그냥 두면, 자신도 아란도 위험할 것 같다는 생각이 든다. 생각을 정리하고 싶은데 계속 오는 상대의 전화에 치까지 떨리는 루다다. 계속 아란에게 집착을 하는 상대가 아란을 먼저 찾기 전에 자신이 아란을 먼저 찾아야 한다고 느낀 루다는 모처럼 부지런하게 움직이지만, 불안한 촉에 덜덜 떨려 오는 몸은 성가시다.

소름 끼치도록 무섭게 아란에게 집착하는 한 사람과, 그 사람보다 빨리 아란을 찾으려는 루다. 그런 루다를 죽이려는 아란.

세 사람의 화살표는 서로에게 뒤엉킨 채 꼬여버렸다. 루다는 어떻게 하면 먼저 아란을 찾을 수 있을까 생각한다. 못 미덥지만 기댈 곳은 경찰 밖에 없기에 다시 경찰서로 향한다. 경찰서에서 돌아온 한 마디는 성인 가출은 신고 접수가 잘 안된다는 것이다. 루다는 답답함에 경찰서 바닥을 발로 세게 내려치기도 하며 흥분해서 말을 해보지만 소용 없는 짓이다. 루다는 아무런 수확도 없이 경찰서에서 나온다. 또 한 번 울리는 루다의 핸드폰. 루다는 익숙해진 번호에 받을까 말까 고민하다가 전화를 받는다.

"하, 썅년. 전화 한번 더럽게 안받네."

천박한 상대의 목소리에 루다는 무슨 말을 해야할지 모르겠어서 전화를 그냥 또 끊어 버린다. 다시 또 전화가 울린다. 루다는 수신거부를 한다. 전화를 계속해서 받지 않자 메시지가 미친 듯이 온다.

'네가 아무리 발악해도 나보다 먼저 아란을 찾을 수는

없어. 그년을 가장 잘 아는건 나거든. 나는 걔를 꼭 찾을 거고, 꼭 내 손으로 잡아 죽일거야.'

루다가 읽자마자 지워지는 메시지에 루다의 불안감은 더욱 커진다. 또 한 번 오는 메시지.

'걱정마. 너는 나랑 아무 상관도 없어서 안 건드릴거니까. 나는 아란만 죽이면 돼.'

또 한 번 확인을 하자마자 없어지는 메시지. 루다는 메시지를 보고 두려움에서 자신은 안전할 수 있음에 묘한 안도감을 느낀다. 그 느낌은 아란이 자신에게 보냈었던 메시지 만큼이나 자신에게 큰 실망을 안겨준다. 루다는 자신이 어떻게 아란을 찾을 수 있을지 전혀 알 수도 없고, 갈피를 못 잡겠어서 답답하다. 답답한 마음에 루다는 울부짖으며 차의 크락션을 빵빵 울려댄다. 루다 답지 않은 행동인 것 같으면서도 감정에 솔직하고 싶었던 루다의 마음을 가장 잘 드러내는 모습이다. 계속해서 울려대는 루다의 차 경적에 사람들은 루다의 차를 손가락질하며 쳐다보고 경찰은 나와 루다의 차 창문을 두들긴다. 루다는 힐끗 쳐다도 보지 않고 엑셀을 세게 밟아 자신의 집으로 돌아간다. 한참을 주차장에서 차를 세워두고 핸들에 손을 포게어 두고 그 위에 머리를 살포시 얹은 채 입술만 잘근잘근 깨물고 있는 루다다. 자신의 무력함에 무력감을 느끼며 루다는 머리까지 쥐어 뜯으며 울부 짖는다. 그 모습은 마치 아란 같다.

루다가 아란을 이토록 간절히 찾고 있는지 모르는 아란은 깊은 잠에 들어있다. 약에 취해 몇 일을 자고 있는 아란이다. 아란의 잠이 깊어질수록 아란의 몸은 기운을 점점 잃어가고 아란을 추적하는 상대의 움직임은 점점 선명해진다. 상대의 움직임이 선명해지면 선명해질수록 아란은 하나에게 끌려간다. 아란의 머리채를 숭덩 잡고 끌고 가는 하나는 아란의 몸과 얼굴이 나뭇가지와 돌들에 긁혀 망신창이가 되도 신경쓰지 않는다. 자신이 지내던 허름한 컨테이너 박스에서 더 떨어져 있는 으슥한 숲 속에 있는 더 허름한 컨테이너 박스로 아란을 던져 넣는다. 축 쳐져 컨테이너의 차가운 바닥에 붙어있는 아란의 모습은 살아있는 사람이라고 하기에 어려울 정도로 창백하고 몸에 힘이 하나도 없다. 아란의 몸의 골수마저 다 하나가 빼앗아 먹었는지 아란은 뼈가 없는 연체동물 같고, 하나는 건강해 보이기까지 한다. 하나는 아란을 다시 막 잡고 일으켜 덜컹거리는 나무 의자에 앉힌다. 나무 의자의 가시가 아란의 피부에 긁히며 빨간색 선을 만들지만 하나는 아랑곳하지 않는다. 골골 되는 소리와 함께 힘겹게 아란을 묶고 뿌듯한 듯 승리의 미소를 짓는 하나의 모습은 마귀할멈처럼 뾰족하게 휘어져 있다. 아란은 여전히 약에 취해 꿈과 현실 사이에서 갈팡질팡하고 있다.

오락가락하는 아란의 정신은 오락가락 꿈과 현실을 헤매다 현실로 돌아오고 있다. 움직이지 못하게 묶여있는 몸이 느껴진다. 발목도 손목도 묶여있다. 입에도 밧줄이 물려있어 말을 하기도 숨을 쉬기도 어렵다. 발목과 손목에 묶여있는 밧줄은 어딘가 모르게 어설프다. 희미하게 들리는 사람의 대화소리에 희망을 걸고 아란은 밧줄을 풀려고 한다. 눈물이 맺히는 아란이다. 자신이 왜 묶여있는지도 모르겠고 자신이 왜 이걸 풀어야 하는지도 모르겠다. 그렇게 죽음을 소망했는데 막상 누군가가 자신을 죽이려고 하니 비겁하게 삶으로 도망치는 자신의 모습이 한심하다. 한심하면서도 본능적으로 살고 싶은 것인지 아란은 밧줄을 풀려고 애를 쓴다. 어설프게 묶여진 밧줄 덕분일까 밧줄에 묶여 빨개진 발목이 보인다. 아란은 손목도 이리저리 움직이며 풀려고 애를 쓴다. 오래된 문이 열리는 부자연스러운 소리와 함께 그림자 두 개가 함께 들어온다. 애석하게도 나란히 들어오지는 않는다. 한 명의 그림자는 서 있고, 한 명의 그림자는 머리채를 잡혀 끌려온 모양으로 바닥에 그려져 있다. 그 모습은 아란이 하나에게 끌려온 모양과 다를 바 없다. 자신처럼 바닥에 붙어 늘어져서 끌려온 사람은 하나고, 그 위에 보이는 사람은 남자다. 어떤 남자일까. 아란을 스쳐 간 남자인 성별은 너무도 많아서 남자인 것만을 알고 아란은 누군지 알 수 없다. 분명 자신이 아는 사람 같은데 어떤 사람일지 생각한다. 아란은 굴러가지 않는 머리를 굴려본다. 아란은 자신에게 행운처럼 갑자기 다가와 안식처가 되어준 남자이기를 바라면서도, 매주 찾아와 자신을 흠씬 두들겨 패놓고 돈이면 다인 줄 알았던 남자의 탈을 쓴 괴물인 것 같기도 해 두렵다. 아니면, 경찰이면서 성매매를 하는 사람인가? 아니면, 변호사면서 성매매를 하는 사람인가? 아니면, 그냥 평범한 직장인 인가? 아니면, 부인의 출산 장면을 보고 징그러움을 느껴 부인과 관계를 가지지 않는 미친 새끼인가? 누구여도 자신에게 안정을 준 남자가 아닌 이상 아란에게는 괴물이다.

아란은 어두운 컨테이너 박스의 안에서 자신의 한 쪽 눈으로 자신을 이렇게 만든 사람이 누군지 보려고 한다. 처음으로 아란은 자신이 자살을 시도한 것을 후회한다. 자신이 욕조에서 녹아들어 빨갛게 익어가지만 않았더라고 눈이 더 잘 보였을 텐데. 그때의 일로 지금도 아란은 한 쪽 눈의 시력이 거의 없다. 한 쪽 눈은 실명에 가까우며 한 쪽 눈은 상처로 번져 있다. 아란은 누군지 궁금해 아픈 눈과 아픈 몸을 부릅 떠 본다. 익숙한 모습이 보인다. 이전보다 넓어진 어깨. 이전보다 커진 듯 한 키. 이전보다 낮아진 목소리. 경박하지 않은 저벅저벅 걸음 소리. 한 쪽 손에는 하나의 머리채를 잡고 자신의 손아귀 아래 축 늘어져 숨을 헥헥 몰아쉬는 하나를 보며 만족하고 있는 모습. 왠인지 똑바로 올려보기에 두려운 사람. 루다가 느꼈던 광기를 아란도 느낀다. 아란은 막연한 두려움에 사로잡힌다. 이곳에 온 사람은 자신을 너무도 잘 아는 사람 같다. 그 사람은 한이다. 한이 왜 이곳에 있는걸까. 어떻게 알고 온 걸까.

한은 주저앉아 고통스러운 숨을 쉬는 하나와 눈을 맞추기 위해 몸을 숙인다.

"고마워. 네가 도움이 다 될 줄이야. 나 이년 지독하게 쫓고 있었거든. 잘했어."

하나는 부들부들 눈동자를 흔들며 불인해 한다.

"너 나한테 왜 그래. 내가 뭘 잘못했다고."

"왜 하나같이 잘못한 것들은 자기들 잘못을 모를까?"

비열한 말투에 쓸쓸함이 섞여 있는 한의 말은 모순적이다. 자신이 저지른 아란을 향한 잘못, 루다를 향한 잘못. 지금 저지르려고 하는 잘못들은 어디로 간 걸까. 한은 자기연민에 빠져 자신의 불행만을 씹는 고독한 사람이다. 한은 자신의 불행만을 생각해 남도 불행으로 빠뜨리는 늪 같은 사람이다.

"네가 나 버렸잖아."

"아니야. 버리지 않았어. 너는 나랑 살면 불행해. 나랑 살면 다 불행해 지더라. 그래서 널 위해 그런거야. 널 위해서였어. 나 그래도 너 부족하지 않도록 계속 돈 보냈잖아. 그돈으로 괜찮게 살았잖아. 아니야?"

"돈이면 다 되는게 아니야. 나는 평생 엄마라는 단어를 써본적도 없는데. 그리고 그 돈 당신 것도 아니잖아. 운 좋게 어떤 놈 잘 물어가지고 그 사람 돈 뜯어 낸거잖아. 그 사람 약점 잡아가지고. 그 아들도 같이 협박하고. 맞지? 내가 모를 줄 알아?"

하나는 자신의 행각을 다 아는 아들의 말에 수치심을 느낀다. 하나는 처절한 목소리로 한에게 미안하다고 말한다. 그 모습을 보고 있는 아란은 손목에 있는 밧줄을 다 풀어가고 있고, 남자는 아란이 없는 삶에 적응하고 있고, 루다는 아란을 찾으러 다니고 있지만 전혀 진척이 되고 있지 않다.

느슨해진 아란의 손목을 본 하나는 저년을 잡으라고 한에게 소리친다. 한은 아란에게 다가가는 순간에도 하나를 놓지 않는다. 아란을 내려다 보는 한. 한은 아란에게 침을 뱉는다.
"그러게. 나를 왜 배신했어. 내 말만 들었으면 너는 안전했잖아 안그래?"
아란은 읍읍거린다. 한은 아란 입에 물린 밧줄을 빼준다.
"하고 싶은 말 있으면 해."
아란은 아무런 말도 하지 않는다. 그런 아란을 빤히 내려다 보는 한은 아란의 무너진 얼굴과 곳곳에 있는 상처를 보도 인상을 쓴다.
"너 왜 이렇게 망가졌냐."
한의 눈에 망가져 보이는 아란의 모습은 한의 눈에 이쁘게 보이지 않는다. 한의 눈에는 더 이상 아란을 향한 호감이 비치고 있지 않다. 한이 사랑했던건 아란일까, 얼굴일까. 아란은 한이 늘 몰고 다니는 역겨움에 불쾌감을 느낀다. 손도 대기 싫고, 냄새도 맡기 싫다. 아란이 한에게 느끼는 감정이다. 그 감정을 한 역시 아란을 보며 느끼고 있다. 한은 자신이 좋아했던 얼굴이 하나도 남지 않은 아란을 보며 한숨을 쉰다. 한은 확실히 아란을 사랑한 게 아니라, 얼굴을 사랑한 것이다. 욕심이 많은 한은 예쁜 여자를 사귀고 싶었으나 그런 여자들은 자신과 친해지지도 않았다. 아란은 만만했다. 사연이 많았고 잘 휘둘리는 듯 했다. 처음부터 아란의 얼굴을 보고 이성적인 감정만을 느끼고, 육체적 보상을 원했음에도 불구하고 한은 자신은 아란을 다른 것처럼 대하지 않았다고 주장한다. 아란은 한의 말이 궁금하지 않은데 한은 찌질한 얼굴과 여전히 못난 이목구비를 한 채 말을 한다. 말을 배설한다.

자신은 아란과 달리 아란의 인간적인 면모를 좋아했다고 하며 아란에게 안식을 준 남자를 좋아한 아란을 비난한다. 비난의 이유는 아란이 그 남자가 잘생겨서 좋아한다고 생각하기 때문이다. 그 남자는 어떻게 생겼을까. 아란에게 묻는다면 아란은 똑바로 답하지 못한다. 아란은 그 남자에게서 느껴지는 편안함이 좋았던 것이지, 그 사람의 얼굴이 좋았던 것이 아니기에. 아란의 눈에는 분명, 남자는 잘 생겼지만 한이나 루다나 자신의 얼굴의 등급을 매기는 것처럼 남자의 얼굴에 등급을 매기지 못한다. 아란에게 남자의 얼굴은 자신이 사랑하는 사람의 얼굴일 뿐, 잘생겨서 좋아하는 얼굴이 아니기 때문이다.

한은 자신이 아란의 얼굴을 보고 이성적인 끌림으로 집착을 해놓고선 아란을 비난하며 뒷주머니에서 작은 칼을 꺼내 아란의 옷을 조금씩 찢는다. 옷이 찢길수록 보이는 아란의 육감적인 몸에 침을 꿀꺽 삼키는 한이다. 두툼하게 차오르는 한의 아랫도리를 보니 역한 감정에 휩싸이는 아란이다. 수 많은 남자들의 발기를 보았지만 가장 불쾌하게 다가오는 발기다.

아란의 몸에 집중을 하면 할수록 손에 힘이 풀리는 한. 한의 손에 붙잡혀 있던 하나는 한의 손 아귀에서 벗어난다. 도망친다. 한은 어정쩡한 자세로 하나를 뒤 쫓아 간다. 아란은 자신의 허벅지 사이에 떨어진 칼을 고개를 숙여 입으로 문다. 손을 더욱 세차게 흔들어 손목에 묶인 엉성한 밧줄을 푼다. 발목의 밧줄을 칼로 끊으려는데 한과 하나의 소리가 들린다. 아란은 아무것도 하지 않은 척

옷 소매에 칼을 넣고 손을 뒤로 숨긴다. 하나의 얼굴은 벌겋게 부어올라있다. 이마와 코에서는 검붉은색 피가 흐르고 있다. 한은 하나를 한 번 더 때려 바닥에 눕힌다. 한은 울먹이며 하나의 목을 조른다. 아란은 남자와 여자가 함께 누워 있는 모든 풍경은 잔인하다는 생각을 한다. 아란은 하나가 차려준 따듯한 밥들이 생각나 하나를 도와줄까 생각하지만, 왜인지 자신을 결박해 둔 사람이 하나인 것 같아 그러지 않는다. 자신은 누구를 도울 여유도 없으며, 자신이 이렇게 된 게 다 남 탓인데 왜 자신이 남을 구해야 하나 싶어 영화를 보듯, 한과 하나를 조용히 감상한다. 한의 손이 하나의 목을 서서히 더 쎄게 감싸오자 하나의 눈은 더욱 빨게진다. 하나의 눈은 금방이라고 피눈물을 흘릴 듯 붉은 색으로 넘쳐 일렁인다. 컥컥 거리는 하나의 숨소리는 가만히 듣고 있는 아란도 괴롭게 만든다. 하나의 피눈물 대신 한의 눈물이 후두둑 하나의 얼굴에 떨어진다. 바들바들 거리며 손을 놓는 한. 한은 끝내 살인을 저지르지 못했다.

아란은 아쉬워한다. 자신이었으면 안 그랬을 것이기에 이해하지 못한다. 아란은 자신을 낳았으면서 버린 부모를 죽일 기회가 있으면 바로 죽일 것이기에 한의 행동이 가식으로 느껴진다. 여전히 솔직하지 못한 성실하게 꾸준히도 못생긴 한의 모습에 토가 쏠리는 아란이다.

한의 느슨해진 손과 한의 느슨해진 정신 속 하나는 풀려난다. 하나는 아란에게 다가간다. 한은 말린다. 한이 아란을 구해주려는 것일까? 아니다. 하나와 한은 누가 아란을 괴롭힐지, 망가뜨릴지, 죽일지에 대해 싸우는 중이다. 하나는 아란을 죽여야 지신이 행복해진다 말하고 있고, 한은 아란을 자신의 정액으로 묻혀야 한다고 말하고 있다. 아란은 이왕이면 하나의 손에 깔끔하게 죽고 싶다는 생각을 한다. 하나의 말과 자신이 루다를 죽이려는 생각이 일치해서 하나의 말에 공감이 가는 아란이다. 아란은 조용히 중얼거린다.

"하나가 나를 죽여주면 좋겠어."

그 말에 한은 하나를 발로 차 버린다. 배를 움켜 잡고 괴로워 서 컥컥 거리는 하나를 벌레 보듯 보는 한. 그 눈빛은 자신이 한을 볼 때 나오는 눈의 빛과 같은 빛이다. 한은 자신이 아란에게 고통을 줄 것이라며 하나를 말린다. 하나는 벌벌 떨며 기어다니면서도 한의 바짓가랑이를 잡고 한을 놓아주지 않는다. 성가신 듯 한은 하나에게 발길질을 한다. 한은 하나를 죽이지 않았을 뿐 폭력은 마구 휘두른다. 이 역시 모순된 모습이다. 한의 말과 행동은 무엇하나 일치하는 것이 없으며 오직 자신만의 기준에서 행동하며 그 기준은 언제나 스스로의 편이기에 자신의 말이 다 맞다. 여전한 한의 모습에 아란은 이런 상황에서도 철없이 웃음이 터진다. 그런 아란을 어이없다는 듯이 보며 아란의 귀에 속삭이는 한이다.

"너 루다 알지? 이루다."

한이 어떻게 루다를 알지 어리둥절한 아란이다.

"이년봐라. 아직도 멍청하네. 루다가 네 이야기를 어떻게 알겠어. 누가 알려줬겠어. 너를 그렇게 낱낱이 아는 사람이 나 말고 또 있어?"

아란은 루다가 자신의 이야기를 자신에게 묻지도 않고 쓴 사실에 배신감이 들면서도, 자신은 루다를 죽이고 싶어했기에 억울해 하지 않는다. 묵묵히 배신감을 억누를 뿐이다. 오히려 자신의 이야기를 알면서도 자신을 믿어주려고 했던 루다가 안타깝기까지한 아란이다. 루다는 자신이라는 존재를 알기 전에 자신의 이야기를 안 것이기에. 어쩌면 자신에게 허락을 받을 수도 없지 않았나 싶다. 아란은 그렇게 합리화한다. 아란은 배신감을 느끼고 루다를 더 탓하기에는 지금 이 상황이 어지러울 뿐이다. 어지러움을 느끼는 아란의 앞에서 당당하게 자신의 바지를 내리는 한이다.

“빨아.”

아란은 순순히 발기가 되지도 않아 흐믈거리는 한의 성기를 입안에 집어 넣는다. 입으로 한의 성기를 힘껏 깨문다. 손을 앞으로 순식간에 가져와 한의 성기를 자른다. 한의 바지끄덩이를 잡고 있던 하나의 머리에 한의 피가 떨어진다. 한은 끔찍한 비명을 지른다. 아란은 우물우물거리다 퉤 하고 자신의 손에 한의 성기를 뱉은 후 자신이 묶여 있던 의자로 한의 대가리를 후려친다. 바닥에 엎어져 아파하며 울부짖는 한의 모습을 보니 속이 다 후련한 아란은 칼로 한의 얼굴도 이마에서부터 턱까지 깊숙하게 한 번 쓰윽 그어준 후 상쾌한 웃음을 내며 가벼운 걸음으로 밖으로 나간다.

한이 가져온 차가 보인다. 차 안에는 차 키가 그대로 꽂혀 있다. 운전을 한 번도 해보지 않은 아란이지만 무작정

운전대를 잡는다. 손에 쥐어 있던 축 쳐진 한의 성기를 옆에 의자에 아무렇게나 툭 하고 던져 놓는다. 아무렇게나 이것저것 밟아보고 있는 아란의 앞에 하나가 차를 가로 막는다. 아란은 아랑곳하지 않고 엑셀을 밟는다. 차에 튕겨져 나가 다리를 절룩거리며 자신의 집으로 돌아가는 하나는 멀어지는 아란을 바라본다. 일자로 가지 못하고 휘청휘청거리며 가는 아란의 차가 된 한의 차였던 것은 아란과 한과 하나의 정신만큼이나 불안정해 보인다. 차의 시동소리에 정신을 차린 한은 절규하며 아란의 이름을 부른다.

아란은 자신의 몸에 묶여 있던 밧줄과 한의 성기와 함께 아무렇게나 가는 차를 타고 아무렇게나 가고 있다. 아란은 꽤 오래 잠만 자고 있었고, 컨테이너 박스는 어두워서 몰랐는데 지금은 칠흑같이 어두운 밤이다. 인적이 드문 밤과 새벽의 그 사이에 도로에는 아란의 차 소리만 울려 퍼지고 있다. 아란은 도로와 터널이 오직 자신만을 위해 존재하는 듯 해 창문을 열고 크게 소리를 질러본다. 울려 펴져서 다시 자신에게 돌아오는 자신의 소리에 만족한 듯한 미소를 지으며 눈물을 흘리는 아란이다. 눈이 잘 보이지 않아 답답해서 우는건지, 자신과 친구라면서, 자신을 가장 잘 안다면서, 자신을 여자이기 이전에 한 사람으로 봐줬다고 하면서 결국 자신의 성기를 물리던 것에게 배신을 당한 마음이 아파서 우는건지 아란은 알 수 없다. 그저 눈물이 흘러서 흘리고, 차가 있어서 앞으로 빠르게 가는 것 뿐이다. 아란이 가는 앞에는 무엇이 있는지 모른다.

아란은 긴 터널을 지나 커다란 나무가 있는 곳에 도착했다. SNS에서 벚꽃이 피면 아름답기로 유명한 나무다. 루다가 보여준 적이 있다. 이 나무를 보여줄때의 루다의 표정은 진심으로 행복해 보였고 아란은 그 표정이 부러워 루다의 얼굴을 다 뜯어 훔쳐가고 싶었다. 루다를 죽여야 하는데 그러지는 못할 것 같아서 루다가 가장 행복한 표정을 지었던 곳을 불행하게 만들려고 하는 아란이다. 솔직히 아란은 루다에 대해 미운 감정이 없다. 자신도 이해가 가지 않을 정도로 루다가 좋지만 자신도 알 수 없을 정도로 루다를 죽여야만 자신이 행복할 것 같다. 자신의 행복을 위해 루다를 죽여야 하지만 아란은 죄 없는 루다를 죽이지 못하겠다. 루다를 죽여도 자신의 과거가 잊혀지는게 아니기에 아란은 루다를 죽이는 대신 루다가 좋아했던 장소를 자신의 천박함과 불행함으로 물들이겠다고 다짐한다.

찢겨진 옷을 입어 너절한 아란은 차에서 밧줄과 한의 성기를 챙겨 내린다. 아란은 한의 성기를 다시 한 번 입에 넣어본다. 역함이 몰려와 바로 뱉어 버린다. 뱉어 버리는 순간, 아란의 아래에도 피가 난다. 아란은 영문모를 피를 무시한 채, 나무의 코앞으로 간다. 아란은 자신이 몰고 온 차를 한 번 보고, 자신의 상처 투성이인 몸을 한 번 보고, 밤하늘의 무수히 떠 있는 별들을 본다. 이렇게 많은 별을 처음 보는 것 같은 아란은 예전처럼 별에게 소원을 빌까 하다가 그게 무슨 의미가 있을까 싶은 부질없음에 소원을 빌지 않는다. 나무를 한 번 쓰다듬는다. 나무의 우둘투둘하면서도 두꺼워서 폭신한 껍질의 느낌이 좋은 듯 꼭 안아본다. 아란은 나무의 가지를 올려다 본다. 어떤 가지가 좋을 까 생각한다. 너무 두꺼워 보이는 가지는 삶의 희망이 없어보이고, 너무 얇은 가지는 죽음의 희망이 없어보인다. 아란은 두 개의 가지 사이에서 고민하다가 너무 얇은 가지에 밧줄을 건다. 그리고 바위 하나를 옮겨 자신의 목을 밧줄에 묶는다. 살갗이 다 벗겨진 발로 바위를 찬다. 바위는 아란의 졸려오는 목에 따라 바둥거릴때마다 닿는다.

아란은 사랑받고 싶었기에 살고 싶었다. 사랑받고 싶었기에 누가봐도 사랑스러운 루다를 질투했다. 아란은 루다에게 자신이 사랑받고 싶다고 말했을 때 비참했고, 루다는 아란이 이미 사랑을 받고 있음을 알아 이해가 가지 않았다. 아란은 지금 이 상황이 이해가 가지 않는다. 분명 가느다란 가지였는데 가지가 부러지지 않는다. 자신의 불온함은 불안한 가지를 만나 안정을 찾은걸까. 휘청이지 않는 안정적인 걸음으로 죽음에게 걸어간다.

아란의 숨은 끊겼다. 아란이 목을 매단 나무 위로 해가 둥하고 떠오른다. 사람들은 입을 가리고, 핸드폰을 들어 아란을 찍는다. 순식간에 많은 사람들이 구름때처럼 몰려든다. 아란은 세상 사람들이 자신의 아픔을 다 알아 자신을 구원해주길 바랬던 관심을 죽어서야 받는다.

아란은 자신의 불행이 세상 밖으로 나와 가해자들을 처벌해주기를 바랄 것이다. 한편으로는 자신의 살인이 드러날까 두렵기도 할 것이다. 그러나 이 모든 것들이 무슨 소용일까. 아란은 죽었는데.

사람들 사이를 뚫고 경찰들이 몰려온다. 사람들이 더 이상 가까이 오지 못하도록 조치를 취한다. 저 멀리서 보이는 루다. 더 멀리서 보이는 하나. 보이지 않는 한. 보이지 않는 남자. 저 멀리서 보이는 루다는 다른 사람들처럼 경악스러운 표정으로 입을 가리고 눈을 커다랗게 뜨고 있다. 루다는 다른 사람들과 다르게 누군가의 죽음을 찍지 않는다. 누군가의 죽음을 가십거리로 삼지 않는다. 하나는 낄낄거리며 상쾌하게 웃는다. 점점 하나는 앞으로 다가온다. 꼬부랑 굽어버린 허리를 톡톡 두들기며 하나는 아란의 시체를 어떻게든 가까이서 보려고 노력한다. 그 옆에 한 마리의 강아지가 낑낑거린다. 하나는 강아지를 발로 뻥 하고 차버린다. 강아지는 하나를 보고 으르렁 거린다. 아란이 목을 건 나무의 가지가 똑 하고 떨어진다. 아란의 시체는 차를 타고 이동한다.

아란이라는 한 명의 죽음은 제각기 다른 반응을 불렀다. 누군가는 가십거리로 삼으며 심심한 자신의 일상을 자극으로 물들였고, 누군가는 루다처럼 사정을 안타까워 했고, 누군가는 한이 그랬듯이 아란을 걸레 취급했다. 아란의 죽음으로 아란이 죽인 포주가 운영하던 술집은 영원히 영업이 종료됐다. 아란의 장례는 쉽게 치러지지 않았다. 아란은 무연고자에 신원이 불분명했기에. 아란의 핸드폰은 언제부터인가 없었기에. 그 흔한 연락처도 찾을 수 없었다.

아란의 장례가 치러진 건 아란의 죽음이 세상 전체에 알려질 때였다. 각종 SNS에 퍼서 날라지고 있는 아란의 죽음은 사람들의 관심을 끌기에 충분했고, 세상과 사람에 대해 관심이 없는 루다도 관심을 가지게 되었다. 자신도 그 현장에 있었기에. 자살한 사람의 마지막을 보았기에. 더 마음이 쓰이는 루다였다. 계속되는 아란의 자살에 대한 이야기들을 보고 있자니 루다는 묘한 기시감을 느꼈다. 자신이 아는 이야기 같았다. 루다는 아란의 시신이 안치된 병원으로 간다. 루다는 자신이 안치실의 비용을 다 부담하겠다고 한다. 자신이 장례를 치루겠다고 말한다. 떨리는 목소리로 말을 겨우 내뱉는 루다의 옆에는 붕대로 얼굴을 감고 모자를 푹 눌러쓴 키가 작고 왜소한 덩치의 남자가 웅얼거리고 있다. 남자의 목소리가 익숙한 루다는 무례함을 무릅쓰고 남자의 모자를 벗긴다. 한이다. 한은 꽥하고 소리를 지르며 도망친다. 한도 아란의 시체가 안치된 곳으로 왔다. 한도 루다처럼 아란의 시체를 찾고 있었다. 루다는 장례를 치루며 아란의 마지막을 기리는 목적이었고, 한은 더 망가질 수 없는 아란을 더 망가뜨리는 것이 목적이었다. 아란을 바라보던 께름칙한 사람들의 시선과 손가락질은 한을 향하고 있다. 한은 아란이 받던 미친년 소리를 년만 놈으로 바꿔 듣고 있다. 한은 자신에게 잘못한 것이 없는 아란을 해하려 한 죄로 아란이 들었던 미친년이라는 욕을 들으며 평생 살아간다.

루다는 아란의 장례를 무사히 치러주었다. 일각에서는 아란의 장례를 치러주는 것을 반대하기도 했지만 루다는 상관 없었다. 사람들은 이러나저러나 어떻게든 꼬투리를 잡기 마련이니까. 사람들은 이러나저러나 남을 깎아내리며 자존감을 채우는 미천한 것들이니까. 아란의 장례식에는 오직 루다만 있었다. 오지 않은 것인지 오지 못한 것인지 알 수 없지만 아란에게 편안한 안정감을 준 남자는 오지 않았다. 루다는 아란이 해준 남자 이야기를 떠올린다. 남자는 어쩌면 정말, 행운이 아닌걸까. 형체도 무엇도 없으면서 예고 없이 찾아와 일상을 뒤흔들면서 아무렇지 않은 척 하는 행운이 아닐까. 자신을 잡아주기를 원하면서 적극적이지는 않은 소심한 행운이 아닐까. 그래서 얄미운 행운이 아닐까. 찾을 때는 없고, 찾지 않으며 원망할 때 그때 나타나 인지하지 못하는 행운이 아닐까. 루다는 아란을 찾아오지 않은 남자가 원망스럽다. 분명 아란의 말에 따르면 남자는 아란의 불행을 막아줄 힘도, 아란의 신뢰도 받고 있었는데 왜 적극적이지 않았을까. 묘하게 소극적였을까.

루다는 자신의 잡념을 아란의 장례에 떠내려 보낸다. 어딘가 모르게 후련해진 루다의 마음이다. 루다는 집으로 돌아가 책을 쓴다. 미루고 미루던 아란의 이야기를 종결짓는다.

아름답게 자란 두 여자

루다는 자신의 책 지은이에 김아란과 이루다를 나란히 적었다.

아란이 주인공이지만 아란은 읽을 수 없는 루다의 책 속 아란은 아란의 인생처럼 미쳐있고 아란처럼 美쳐있다. 루다는 자신을 똑같이 따라 하는 아란이 소름 끼쳤지만 자신을 아무런 조건 없이 바라보고 좋아하며, 닮고 싶어하는 사람이 없었기에 아란의 모습이 사랑스러웠다. 그 점이 편했다. 언젠가는 아란이 본래의 아름답게 자란 모습으로 돌아올 것이라고 믿었다. 믿음은 죽음으로 돌아왔다. 아란의 죽음으로 루다의 책은 완성이 되었다.

루다의 책에서 말하는 한은 아란이 느꼈던 것처럼 음흉하며 음침한 구석이 상당히 많다. 한이 사랑과 관심을 끊임없이 갈구하고 집착하는 이유는 분명 존재하지만, 이유가 있다 한들 절대 한이 저지른 아란에게 한 스토킹이라는 범죄행위는 이해 받아서는 안되기에 아무도 호감을 가지기 힘든 비호감적인 요소 여러 가지를 합쳐 썼다.

아란이 편하게 생각하며, 편함 속에서 안정을 느꼈던 서로가 서로를 좋아했지만, 그 아무도 적극적이지 않았던 아란과 남자. 루다의 책 속 남자는 운명처럼 찾아온 행운이자 사랑이다. 남자의 존재는 삶에 늘 존재하는 햇살과도 같은 것이다. 불행하다고 생각하는 순간에도 분명 누군가는 무수히 많은 사람들 중 한 명이라도 무조건 우리를 사랑하고 있다. 아란이 이 사실을 알았더라면 어땠을까. 부정하지 않고 받아드렸으면 어땠을까. 사랑은 받아본 사람이 줄 수 있고, 할 수 있고, 받을 수 있는 것이라서 가장 따듯한 것이면서도 가장 냉혹한 것이다. 아란은 루다에게도 사랑 받았다. 그런 사랑을 받는 아란을 외로운 루다는 늘 부러워 했고, 아란의 사랑을 질투 하면서도 지켜주고 싶어했다. 아란이 부러워 하던 루다 역시 아란의 어떤 부분을 부러워했다. 아란은 루다가 자신을 때때로 질투 했음을 몰랐다. 루다는 아무것도 모르는 아란의 순수함에 아란이 사랑스러운 사람임을 단번에 알아 또 부러웠다.

아란의 자살을 가슴 깊이 사무치도록 아파하고 자신을 변형하려고 하지 않고, 있는 그대로 아름답게 봐주며 온전히 사랑해주는 사람이 세상에 영원토록 소멸 되었다는 상실감에 괴로워 하면서도 루다는 자신의 책에서도 아란의 인생의 끝을 사실 그대로 자살로 맺었다.

전생에 저지른 잘못이 현생에도 이어져 고통이 된다는 건 너무도 억울한 일이다. 억울함과 분노가 섞여 울분이 터지는 일이다. 루다는 전생의 업보로 인해 창녀의 운명을 타고난 아란의 삶의 모양이 우리가 살고있는 사회와 그 형태가 유사하다고 느꼈다. 금수저, 은수저, 흙수저. 타고난 수저와 타고난 외모로 살아간다. 그것은 태어날 때부터 정해져 있으며 바꿀 수 있더라도 그 과정이 곱지만은 않다. 타고난 것들로 정해지는 시작들이 너무나도 다른 것처럼 전생과 후생을 유기적으로 연결시켜 어쩔 수 없이 존재하면서도 어쩔 수 없기에 더욱 답답한 사회의 부조리함을 루다는 아란의 인생에 빗대어 고발하듯 책을 써내려 갔다. 빗대어 쓰면서도 아란이 충분히 행복할 수 있었던 몇 가지의 행운의 기회를 빼놓지 않고 적었다. 어떤 수저이던, 어떤 얼굴이던, 어떤 전생이던, 그 무엇이던. 행운과 행복은 누구에게나 어떻게든 찾아온다고 믿고 싶은 루다는 아란의 이야기를 쓰며 아란의 얼굴에 환하지는 않더라도 은은한 미소가 비추는 순간들이 존재하도록 썼다. 존재하는 순간, 순간들에 아란이 집이라는 탈을 쓴 감옥을 불태운 후 서서히 따스함을 입는 과정과 자신과 자신의 인생에 대한 고찰, 사랑, 순수함, 질투, 연민, 죄책감 등을 녹였다.

루다에게 누군가 '김아란'씨가 누구냐 묻는다면, 루다는 영웅이라고 답할 것이다.

아란은 전생의 업보로 인해 원치 않게 계속되는 불행의 현생을 살았다. 아란은 자신으로 족했다. 다음 생에 사는 사람이 누가 될지언정 불행하지 않기를 바랬다. 자신의 다음 생, 후생에는 지독한 불운과 불온이 되물림 되지 않도록 죄를 짓지 않았다. 루다는 아란이 포주를 칼로 찔러 죽인 사실을 모르기에, 그 사람이 어쩌면 아란일수도 있겠구나 하는 불안한 촉은 있었지만 애써 외면 했기에 루다에게 아란은 죄를 짓지 않은 깨끗하고 순수한 사람이다. 새아빠와 새오빠를 죽인 것은 아란이 당한 정신적, 육체적, 성적 폭행으로 인한 영혼의 살인과 육체적 고통에 비한다면 결코 죄라고 부를 수 없기에 루다에게 아란은 죄를 짓지 않은 무결한 사람이다.

어떤 누군가는 자살이 가장 큰 죄라고 말한다. 하지만 자살을 하기까지의 시간들을 들여다보면 자살은 결코 죄가 될 수 없다. 자살을 원하게 한 것들이 가장 큰 죄를 지은 것이다. 아란의 자살은 전생이 현생이 되어 이어지는 되갚음의 복수와 죗값이기도 하면서도 더는 없을 뫼비우스의 띠와도 같은 악의 고리를 끊는 것과도 다름없다고 루다는 생각한다.

아란은 자신을 희생하여 다음을 지켜내는 용감한 영웅들처럼 루다에게 아란은, 영웅의 면모를 가진 아름답게 자란 사람이다. 적어도 루다에게는 그렇다. 아란이 루다에게 모진 말들을 했더라도, 루다는 괜찮다. 아란만큼 자신을 믿어주는 사람이 없었기에. 괜찮다. 아란이 사과를 했기에 다 괜찮다. 처음 받아보는 진심어린 사과였기에 괜찮다.

루다는 괜찮다는 말에만 익숙하다. 괜찮지 않다는 말이

어렵다. 해본 적이 없어서 못하고, 할 기회조차 없었기에 하지 않는다. 루다는 아란의 유골이 안치되어 있는 납골당에서 아란의 몇 안되는 개구진 맑은 미소를 보며 자신의 감정에 솔직해져 본다.

"괜찮지 않아. 나 너무 힘들어. 늘 힘들었어. 나도 너처럼 늘 괜찮지 않았어. 그래도 이렇게 살아있는데 너는 얼마나 더 아팠던거니. 내가 너의 이야기를 알면서도 너를 지켜주지 못해서 미안해. 진심으로 미안해. 너 대신 내가 가는게 맞지 않았을까 싶어. 너는 하고 싶은게 많은 아이였잖아. 사랑을 하고 싶고, 무수히 많은 사랑을 받고 싶은 아이였잖아. 사랑 한 번 해보지 않고 가면 어떡해. 보고싶어만 하다가 떠나버리면 어떡해."

처음으로 뱉어보는 말. '괜찮지 않다.'이 다섯 글자에 무너져 내려 바닥에 주저앉아 흐느끼는 루다는 이내 꺼이꺼이 크게 울음을 쏟아낸다. 루다는 아란을 원망하면서도 아란을 사무치게 그리워한다. 아란의 이야기를 들려준 한을 죽이고 싶어한다. 한에게 들은 아란의 이야기로 자신의 책을 쓴 자신의 모습이 수치스럽다. 루다는 수치심 속 합리화를 시작한다. 루다는 눈의 초점을 눈물로 가려 어디를 보는지 알 수 없는 눈을 한다. 눈물을 삼키고 아무도 없는 정면을 똑바로 응시한다.

"내가 할 건 뭘까. 죽음일까 삶일까."

루다는 알 수 없는 말을 한 후 아란의 납골당 옆에 자신의 책을 둔다.